LA CUISINE
ITALIENNE

LA CUISINE
ITALIENNE

CARLA CAPALBO

Photographies d'Amanda Heywood

Sélection
Champagne
inc.

Première édition en 1994 par Lorenz Books
© Anness Publishing Limited
© 1996, Éditions Manise pour la version française

Directrice éditoriale : Joanna Lorenz
Éditrice de projet : Lindsay Porter
Conception artistique : Patrick Mcleavey et Jo Brewer
Photographe : Amanda Heywood
Styliste culinaire : Amanda Heywood, Carla Capalbo
Cuisinière : Carla Capalbo
Aides cuisiniers : Marilyn Forbes, Beverly Le Blanc, Wallace Heim

ISBN : 2-84198-003-0
Dépôt légal : mars 1996

Imprimé en Chine

Distribué par
Sélection Champagne Inc.
Montréal, Québec
(514) 595-3279

SOMMAIRE

  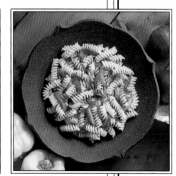

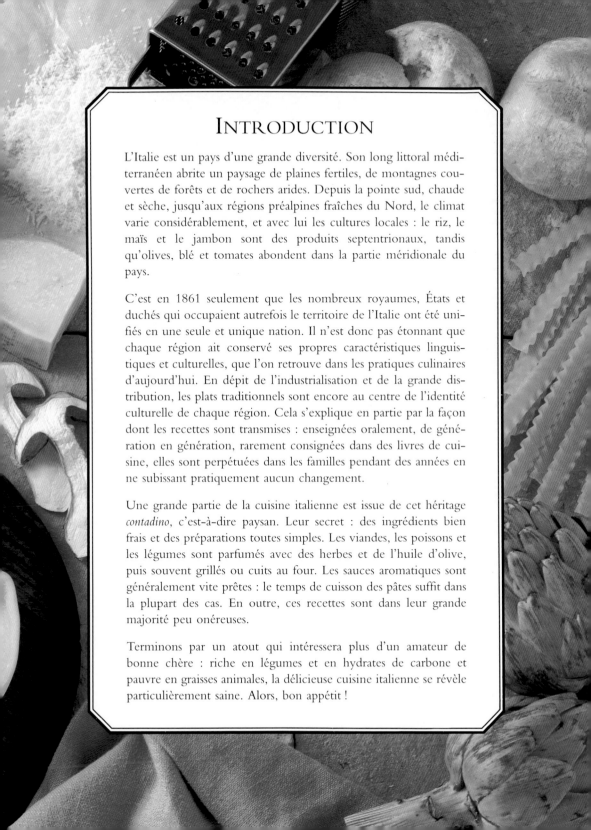

INTRODUCTION

L'Italie est un pays d'une grande diversité. Son long littoral méditerranéen abrite un paysage de plaines fertiles, de montagnes couvertes de forêts et de rochers arides. Depuis la pointe sud, chaude et sèche, jusqu'aux régions préalpines fraîches du Nord, le climat varie considérablement, et avec lui les cultures locales : le riz, le maïs et le jambon sont des produits septentrionaux, tandis qu'olives, blé et tomates abondent dans la partie méridionale du pays.

C'est en 1861 seulement que les nombreux royaumes, États et duchés qui occupaient autrefois le territoire de l'Italie ont été unifiés en une seule et unique nation. Il n'est donc pas étonnant que chaque région ait conservé ses propres caractéristiques linguistiques et culturelles, que l'on retrouve dans les pratiques culinaires d'aujourd'hui. En dépit de l'industrialisation et de la grande distribution, les plats traditionnels sont encore au centre de l'identité culturelle de chaque région. Cela s'explique en partie par la façon dont les recettes sont transmises : enseignées oralement, de génération en génération, rarement consignées dans des livres de cuisine, elles sont perpétuées dans les familles pendant des années en ne subissant pratiquement aucun changement.

Une grande partie de la cuisine italienne est issue de cet héritage *contadino*, c'est-à-dire paysan. Leur secret : des ingrédients bien frais et des préparations toutes simples. Les viandes, les poissons et les légumes sont parfumés avec des herbes et de l'huile d'olive, puis souvent grillés ou cuits au four. Les sauces aromatiques sont généralement vite prêtes : le temps de cuisson des pâtes suffit dans la plupart des cas. En outre, ces recettes sont dans leur grande majorité peu onéreuses.

Terminons par un atout qui intéressera plus d'un amateur de bonne chère : riche en légumes et en hydrates de carbone et pauvre en graisses animales, la délicieuse cuisine italienne se révèle particulièrement saine. Alors, bon appétit !

DES PRODUITS FRAIS

La cuisine italienne repose sur l'utilisation créative de produits de saison. Les légumes et les aromates jouent un rôle clé dans presque tous les plats du menu. Sur les marchés, chaque changement de saison est annoncé par l'arrivée sur les stands superbement achalandés des premiers artichauts, champignons des bois, olives ou châtaignes, que les recettes du moment sauront si bien mettre en valeur.

La plupart des légumes typiquement méditerranéens sont maintenant en vente sur les marchés et dans les supermarchés de la majorité des pays. Le fenouil et les aubergines, les poivrons, les courgettes et la trévise sont de plus en plus utilisés dans les sauces qui accompagnent les pâtes, dans les soupes et les pizzas, mais aussi pour souligner la saveur des viandes et poissons.

Où que vous fassiez votre marché, accordez toujours une grande importance à la fraîcheur des produits. Choisissez-les bien fermes, mûris au soleil, de préférence de culture locale ou biologique. Il est facile de cultiver dans une jardinière ou une plate-bande les aromates comme le basilic, le persil et la sauge. Leur saveur est alors infiniment plus riche que celle des produits séchés que l'on trouve dans le commerce. La cuisine italienne n'est ni compliquée ni sophistiquée, mais pour réussir des plats savoureux, il est indispensable de choisir des ingrédients d'excellente qualité.

Ci-dessous : *La cuisine italienne ne repose pas sur l'utilisation de produits exotiques. La clé de la réussite tient dans la fraîcheur des ingrédients.*

ASSAISONNEMENTS, CONDIMENTS ET AUTRES INGRÉDIENTS DE BASE

L'ingrédient primordial de la cuisine italienne contemporaine est sans doute l'huile d'olive. La saveur fruitée d'une huile d'olive vierge extra parfume chacun des plats dans lesquels elle est utilisée, de la sauce au basilic ou pesto à la vinaigrette la plus simple. Achetez la meilleure huile d'olive que vous trouverez : une bouteille dure longtemps, et la différence de goût est vraiment significative.

On trouve aujourd'hui assez facilement du vinaigre balsamique ailleurs qu'en Italie. Issues du long processus de vieillissement en fût du vinaigre de vin, les meilleures variétés ont une saveur veloutée et très parfumée. Le goût est assez doux et concentré, de sorte qu'une petite quantité suffit.

En automne, on trouve des cèpes dans les bois de divers pays d'Europe. On peut les manger frais, ou bien les émincer et les faire sécher au soleil ou dans des fours spéciaux. Quelques cèpes séchés trempés dans de l'eau tiède donnent à un plat un délicieux parfum boisé.

Les olives sont l'une des merveilles de l'agriculture italienne. Malheureusement, les olives fraîches voyagent mal, ainsi il est difficile de se procurer certaines savoureuses variétés en dehors des régions méditerranéennes. Goûtez toujours les olives en boîte ou en bocal avant de les ajouter à une sauce car elles prennent parfois un goût métallique désagréable qui risquerait de gâcher votre plat.

Dans la cuisine italienne traditionnelle, on trouve également un certain nombre d'ingrédients naturels secs. Les

Ci-dessus : Dans une cuisine italienne, on trouve généralement plusieurs variétés de haricots secs, du riz, des olives, de l'huile d'olive, du vinaigre de bonne qualité, des épices, et des aromates.

haricots secs, lentilles et autres céréales, conservés dans des récipients hermétiques, viennent épaissir soupes et ragoûts. La polenta, ce maïs jaune grossièrement moulu, est un aliment de base de l'Italie du Nord, tout comme le riz, qui sert à la préparation du risotto. Les variétés de riz les plus connues cultivées dans cette région sont l'Arborio, le Vialon Nano et le Carnaroli.

Les câpres, les pignons de pin, les tomates séchées au soleil, les baies de genièvre et les graines de fenouil sont également des ingrédients couramment utilisés pour donner aux plats italiens leur saveur caractéristique. Il est bon d'en avoir toujours sous la main.

9

CHARCUTERIE ET FROMAGES

Les hors-d'œuvre ne demandent pas nécessairement une longue préparation car il s'agit souvent de variétés d'ingrédients typiques de la région. Une assiette de charcuterie régionale constitue l'un des antipasti les plus appréciés. Les salamis, la pancetta, la bresaola, la coppa et la mortadelle comptent parmi les variétés les plus courantes. Elles sont souvent servies avec du pain frais et croustillant et du beurre. Le jambon cru, de Parme notamment, est la charcuterie la plus noble. Il est délicieux servi avec des figues fraîches ou du melon.

Un repas italien se termine plus souvent par du fromage et des fruits plutôt que par une pâtisserie. Parmi la grande variété de fromages, citons les plus connus :

Le gorgonzola est un bleu très crémeux fabriqué en Lombardie. Jeune, il est doux, mais son goût s'intensifie en vieillissant.

Le mascarpone est une crème riche de saveur douce, qui se substitue souvent dans les desserts à la crème Chantilly.

La mozzarelle est un fromage frais fabriqué à partir de lait de bufflonne, ou plus souvent de vache. Il a une consistance lisse et élastique et une saveur douce.

Le parmesan est un fromage affiné très parfumé, à croûte dure, que l'on utilise soit râpé soit en tranches très fines. Les grandes roues de parmesan sont affinées pendant 18 à 36 mois. Le parmesan frais est succulent, sans aucune comparaison avec les variétés déjà râpées vendues sous emballage.

Le pecorino est un fromage de brebis qui existe sous deux formes : le pecorino romano et le pecorino toscano. Ce fromage salé de saveur forte se mange généralement en fin de repas. On le sert râpé lorsqu'il est vieux.

La scamorza est un fromage au lait de vache. Il est affiné suspendu par une ficelle, ce qui explique sa forme de bourse caractéristique.

Ci-dessous : *Un repas italien typique comporte souvent de la charcuterie en entrée, tandis que le fromage tient lieu de dessert.*

USTENSILES

1 *Cocotte en terre*. C'est ce qu'il y a de mieux pour mijoter ragoûts, soupes et sauces. Elle peut être utilisée au four ou sur le feu, avec un diffuseur de chaleur pour qu'elle ne se fissure pas. Il en existe toute une gamme de tailles et de formes. Avant d'utiliser votre cocotte pour la première fois, faites-la tremper dans l'eau froide toute une nuit. Le lendemain, videz l'eau et frottez le fond non émaillé avec de l'ail. Remplissez de nouveau la cocotte d'eau et portez lentement à ébullition. Jetez l'eau. Répétez l'opération jusqu'à ce que le « goût de terre » disparaisse.

2 *Rouleau à pâtes*. Vous pouvez aussi utiliser n'importe quel rouleau en bois de 5 cm de diamètre. Polissez-le au papier de verre avant de vous en servir.

3 *Pilon et mortier*. Pour moudre à la main les épices, le poivre, les aromates et préparer la chapelure.

4 *Presse-purée*. Excellent pour les soupes, les sauces et la « passata » de tomates.

5 *Passoire*. Indispensable pour égoutter les pâtes et les légumes.

6 *Couteau à parmesan*. En Italie, on brise les grandes roues de parmesan avec cet instrument. Plantez la pointe du couteau dans le fromage et appuyez fortement : un morceau se détache.

7 *Roulette à pizza*. Pratique pour couper des parts de pizza, bien que l'on puisse aussi se servir d'un couteau bien tranchant.

8 *Palette*. Très pratique pour étaler, tartiner et lisser.

9 *Cuillère à spaghettis*. Les « dents » de bois attrapent les spaghettis bouillants.

10 *Maillet à viande*. Pour attendrir les escalopes, mais aussi pour écraser fruits secs et épices.

11 *Machine à pâtes*. Il en existe de nombreux modèles, manuels ou électriques, voire industriels. La plupart ont une largeur de rouleau réglable et des accessoires permettant d'obtenir différentes épaisseurs de pâtes.

12 *Douilles de glaçage*. Pour les décorations et garnitures. À utiliser avec une poche à douille ou un sachet en plastique ou en papier sulfurisé.

13 *Économe grande largeur*. Très pratique pour éplucher les légumes de toutes tailles.

14 *Cuillère à boules de glace à l'italienne*. Parfaite pour les crèmes glacées qui ne sont pas trop dures.

15 *Cuillère à glace classique*. Mieux adaptée aux glaces très froides et donc très dures.

16 *Dénoyauteur d'olives*. Vous pourrez également vous en servir pour dénoyauter les cerises.

17 *Fouet*. Excellent pour lisser les sauces et battre les blancs en neige.

18 *Roulette à pâtisserie*. Pour découper les pâtes fraîches ou la pâte à tarte.

19 *Emporte-pièce*. Permet également de découper des pâtes fraîches de formes variées.

LES PÂTES

Les pâtes dans toute leur diversité constituent la base de l'alimentation en Italie. Nous vous présentons seulement une sélection parmi les multiples variétés existantes.

1 *Alfabeto*. Petites pâtes à potage en forme de lettres de l'alphabet.

2 *Anellini*. Petits anneaux pour les soupes et les potages.

3 *Canneroni*. Anneaux pour compléter les soupes de légumes épaisses.

4 *Capellini*. Cheveux d'ange très fins que l'on peut couper pour en faire un potage.

5 *Chifferi piccoli lisci*. Coquillettes lisses utilisées pour les plats de pâtes cuits au four.

6 *Chifferi piccoli rigati*. Version striée des coquillettes ci-dessus.

7 *Conchigliette*. Petites coquilles utilisées pour les soupes.

8 *Conchigliette rigati*. Petites coquilles striées utilisées pour les soupes épaisses.

9 *Conchiglioni rigati*. Grosses coquilles striées que l'on farcit et que l'on cuit au four.

10 *Ditali*. Utilisées pour les soupes, traditionnellement avec des haricots secs.

11 *Ditalini*. Pâtes à potage, plus petites que les ditali.

12 *Ditalini lisci*. Ditalinis lisses, également utilisées pour les potages.

13 *Elicoidali*. Pâtes idéales pour les plats cuits au four, ou accompagnées d'une sauce épaisse à base de légumes ou de viande en morceaux.

14 *Fagiolini*. « Haricots verts », pour les potages.

15 *Farfalle*. Ces papillons sont excellents avec des crevettes et des petits pois, ou froids en salade.

16 *Fusilli*. Ces pâtes en forme de spirales sont idéales avec une sauce à base de tomates et de légumes.

17 *Fusilli integrali*. Fusillis de blé complet. À déguster froids ou chauds avec une sauce de légumes épaisse.

18 *Fusillata casareccia*. Ces pâtes à la forme tordue sont délicieuses en sauce tomate.

19 *Gnocchi*. Coquilles à servir avec une sauce épaisse à base de légumes ou de viande en morceaux. Les gnocchis tricolores (19a) sont parfumés à la tomate et aux épinards.

20 *Gnocchi integrali*. Coquilles à base de blé complet qui se mangent chaudes ou froides, souvent utilisées dans les plats végétariens.

21 *Gnocchetti sardi*. Coquilles sardes délicieuses avec des sauces à base d'agneau ou de poisson.

22 *Lasagne doppia riccia*. Lasagnes à bords frisottés. Version sèche des fameuses pâtes, que l'on farcit avant de les cuire au four.

23 *Lasagne verdi*. Ce sont les épinards qui donnent à ces lasagnes leur couleur verte.

24 *Lingue di passero, Bavette*. Traditionnellement accompagnées de la sauce au basilic ou pesto.

25 *Linguine, Bavettine*. Version plus fine des lingues di passero, bonne avec les sauces à base de poisson.

26 *Lumache rigate grandi*. Gros escargots striés, parfaits pour les sauces épaisses très parfumées, aux olives ou aux câpres par exemple. Bons aussi en salade.

27 *Maccherone*. Les fameux macaronis, traditionnellement gratinés au four avec du fromage.

28 *Mafaldine*. Souvent préparés avec des sauces à base de fromages doux, comme la ricotta.

29 *Mezze penne rigate tricolori*. Pâtes parfumées à la tomate et aux épinards pour obtenir les trois couleurs chères au cœur de l'Italie.

30 *Orecchiette*. Version sèche de ces pâtes du Sud de l'Italie, traditionnellement faites maison. À préparer avec des légumes verts.

31 *Penne lisce*. Tubes coupés en biais pour recueillir le maximum de sauce.

32 *Penne rigate*. Tubes striés, excellents avec les sauces tomates. Un grand classique italien.

33 *Pennoni rigati*. Gros tubes striés, très bons cuits au four.

34 *Peperini*. Petites pâtes à potage.

35 *Perciatellini*. Spaghettis creux que l'on peut servir avec toutes les sauces utilisées habituellement pour les spaghettis.

36 *Pipe rigati*. Coudes striés, parfaits avec les sauces épaisses à base de morceaux de légumes, de pois et de lentilles.

37 *Puntalette*. Pâtes à potage.

38 *Rigatoni*. Souvent cuits au four avec des sauces à base de viande et de fromage. Les mezza rigatonis (38a) sont plus petits.

39 *Ruote*. Pâtes en forme de roues que les enfants adorent.

40 *Spaghetti integrali*. Version à base de farine complète des incontournables spaghettis (40a), plus populaires encore à l'étranger qu'en Italie.

41 *Spaghettini*. Version plus fine des spaghettis, parfaite pour les sauces délicates.

42 *Stelline*. Une autre variété de pâtes à potage, en forme de petites étoiles.

43 *Tagliatelle*. Nouilles aux œufs, excellentes avec les sauces crémeuses.

44 *Tagliatelle verdi*. Tagliatelles parfumées aux épinards.

45 *Spirales à la tomate*. Pâtes à la tomate préparées sur commande.

46 *Tortellini*. Petites pâtes farcies souvent cuites et mangées dans un bouillon.

47 *Tortelloni*. Pâtes farcies à la viande ou au fromage.

48 *Zite*. Une longue pâte creuse souvent préparée avec une sauce à base de tomate ou de poisson.

28

48

35

24

25

40

40a

41

48

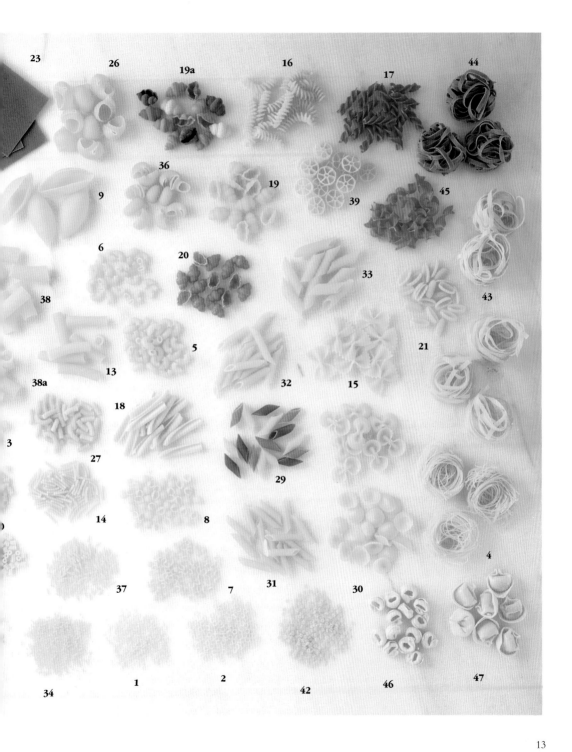

23   26   19a   16   17   44

36   19   39   45

9

6   20   33   43

38

5   21

13

38a   32   15

18

3   29

27

14   8   4

37   31   30

34   1   2   42   46   47

ANTIPASTI ET SOUPES

Si les antipasti chauds ou froids sont une manière idéale
de commencer un repas, ils sont aussi parfaits pour garnir
un buffet. Quant aux soupes de légumes épaisses aux céréales
ou aux pâtes, elles font soit une délicieuse entrée chaude soit
un plat unique riche en vitamines pour un repas léger.

PETITS LÉGUMES EN VINAIGRETTE *Pinzimonio*

Pour préparer cet antipasto coloré de la région de Rome, choisissez plusieurs légumes de saison que vous croquerez en les trempant simplement dans une vinaigrette. Les légumes doivent être crus ou légèrement blanchis, et l'huile d'olive la meilleure possible.

POUR 6 À 8 PERSONNES

INGRÉDIENTS
3 grosses carottes pelées
2 fenouils
6 branches de céleri bien tendres
1 poivron
12 radis débarrassés de leurs racines
2 grosses tomates, ou 12 tomates-cerises
8 petits oignons nouveaux
12 bouquets de chou-fleur
POUR LA VINAIGRETTE
125 ml (1/2 tasse) d'huile d'olive
 vierge extra
Sel et poivre noir fraîchement moulu
3 cuillerées à soupe de jus de citron frais
4 feuilles de basilic frais ciselées (facultatif)

1 Coupez les carottes, les fenouils, les branches de céleri et le poivron en petits bâtonnets.

2 ▲ Équeutez les radis et coupez les grosses tomates en fins quartiers. Retirez les racines et le vert des oignons nouveaux. Détaillez le chou-fleur en 12 bouquets. Disposez les légumes sur un grand plat en réservant une place au centre pour la vinaigrette.

3 ▲ Préparez l'assaisonnement : versez l'huile d'olive dans un bol. Salez et poivrez, puis ajoutez le jus de citron et le basilic. Mélangez le tout et placez le bol au centre du plat de légumes.

CÉLERI AU GORGONZOLA *Sedano ripieno di gorgonzola*

Servez ces légumes faciles à préparer en amuse-gueules avec un apéritif, ou emportez-les en pique-nique : succès garanti.

POUR 4 À 6 PERSONNES

INGRÉDIENTS
12 branches de céleri avec les feuilles
75 g (3 oz) de gorgonzola
75 g (3 oz) de fromage à tartiner
 (type. Kiri ou Saint-Moret)
Ciboulette fraîche ciselée, pour garnir

1 ▲ Lavez et séchez les branches de céleri et coupez la base.

2 ▲ Dans une terrine, écrasez les fromages à la fourchette jusqu'à obtention d'un mélange bien lisse.

3 Garnissez les branches de céleri de ce mélange et lissez le dessus avec une palette. Réfrigérez avant de servir, et décorez avec la ciboulette ciselée.

TOASTS AU FROMAGE

Crostini con formaggio

Il existe en Italie toute une variété de canapés ou de toasts que l'on peut servir froids ou chauds à l'apéritif.
Cette version au fromage est un classique du genre.

POUR 6 PERSONNES

INGRÉDIENTS
4 à 6 tranches de pain de mie blanc
*   ou complet, rassis*
75 g (3 oz) de fromage (type gruyère)
*   coupé en tranches fines*
Filets d'anchois
1 poivron rouge grillé coupé en lamelles
Poivre noir fraîchement moulu

1 ▲ Découpez le pain suivant
différentes formes (triangles, ronds,
carrés, etc.). Préchauffez le four à
190 °C (375°F).

2 ▲ Placez une fine tranche de
fromage sur chaque morceau de pain et
coupez l'excédent pour que le fromage
corresponde à la forme du pain.

VARIANTE

Pour obtenir un résultat plus coloré,
ajoutez des lamelles de poivrons vert
ou jaune.

3 ▲ Découpez les filets d'anchois et
les lamelles de poivron grillé
de façon à leur donner une forme
amusante et posez-les sur le fromage.
Poivrez chaque toast.

4 ▲ Disposez les canapés dessus et
enfournez pendant 10 minutes,
ou jusqu'à ce que le fromage ait
fondu. Servez immédiatement, ou
bien laissez refroidir un moment.

Toasts aux moules

Crostini con cozze o vongole

Chacun de ces canapés est garni d'une moule (ou d'une palourde) avant d'être passé au four.
Cette recette génoise sera encore meilleure si vous utilisez des fruits de mer frais.

Pour 16 Canapés

Ingrédients
16 grosses moules (ou palourdes)
4 grosses tranches de pain
40 g (1 ¹/₂ oz) de beurre
2 cuillerées à soupe de persil haché
1 échalote finement hachée
Huile d'olive pour badigeonner
les toasts
Citron pour servir

3 ▲ Émiettez le pain que vous avez retiré des toasts et réservez-le. Dans une petite poêle, chauffez le beurre. Ajoutez le persil, l'échalote et les miettes de pain et faites dorer le tout.

4 ▲ Badigeonnez chaque canapé avec de l'huile d'olive. Déposez une moule ou une palourde sur chacun, et recouvrez-la d'une cuillerée du mélange à base de persil et d'échalote. Placez le tout sur une plaque à pâtisserie huilée et enfournez pendant 10 minutes. Servez avec du citron.

1 ▲ Lavez bien les moules ou les palourdes dans plusieurs bains d'eau froide. Ébarbez les moules. Mettez-les dans une casserole avec un verre d'eau, et faites chauffer jusqu'à ce que les coquilles s'ouvrent (jetez celles qui ne s'ouvrent pas). Dès qu'elles s'ouvrent, retirez les mollusques du feu. Détachez-les de leurs coquilles et réservez-les. Préchauffez le four à 190 °C (375°F).

2 ▲ Retirez la croûte du pain. Coupez chaque tranche en quatre. Creusez le milieu de chaque canapé de façon à pouvoir y déposer une moule ou une palourde, mais ne percez pas la tranche.

SALADE DE FRUITS DE MER

Insalata di frutti di mare

Il existe, tout le long du littoral italien, des variantes de cette salade. Choisissez des fruits de mer frais de saison, ou mélangez des ingrédients frais et surgelés.

POUR 6 À 8 PERSONNES

INGRÉDIENTS

350 g (12 oz) de petits calamars
1 petit oignon coupé en quatre
1 feuille de laurier
200 g (7 oz) de crevettes non décortiquées
750 g (1 1/2 lb) de moules fraîches
450 g (1 lb) de petites palourdes fraîches
175 ml (3/4 de tasse) de vin blanc
1 fenouil

ASSAISONNEMENT

*5 cuillerées à soupe d'huile d'olive
    vierge extra*
3 cuillerées à soupe de jus de citron frais
1 gousse d'ail finement hachée
Sel et poivre noir fraîchement moulu

1 ▲ Installez-vous près de l'évier et nettoyez les calamars en commençant par peler le corps. Rincez bien puis tirez la tête et les tentacules pour les détacher de la partie en forme de poche. Une partie des intestins viendra avec la tête. Retirez le tube translucide et jetez-le, ainsi que toutes les entrailles restées dans la poche. Coupez les tentacules et jetez la tête. Retirez le petit bec dur qui se trouve à la base des tentacules. Rincez bien les tentacules et la poche à l'eau froide, puis égouttez-les.

2 Portez une grande casserole d'eau à ébullition. Ajoutez l'oignon et la feuille de laurier. Jetez-y les calamars et faites-les cuire 10 minutes, jusqu'à ce qu'ils soient tendres. Retirez-les de l'eau avec une écumoire, et laissez-les refroidir avant de les couper en rondelles de 1 cm (1/2 po) d'épaisseur. Réservez.

3 ▲ Plongez les crevettes dans la même eau bouillante et faites-les cuire jusqu'à ce qu'elles rosissent, soit 2 minutes environ. Décortiquez-les. (Vous pouvez alors filtrer le liquide de cuisson et le garder pour en faire une soupe.)

4 ▲ Ébarbez les moules. Raclez moules et palourdes et rincez-les bien dans plusieurs bains d'eau froide. Mettez-les dans une grande cocotte avec le vin. Couvrez et faites cuire à la vapeur jusqu'à ce que les coquilles s'ouvrent (jetez celles qui ne s'ouvrent pas). Sortez les moules et les palourdes de la casserole.

5 ▲ Retirez les palourdes de leurs coquilles avec une petite cuillère. Mettez-les dans un grand saladier. Retirez les moules de leurs coquilles (gardez-en cependant 8 intactes) et ajoutez-les aux palourdes. Laissez chacune des 8 moules restantes dans une demi-coquille et réservez-les. Retirez les fanes du fenouil et ciselez-les finement. Réservez. Hachez le bulbe en petits morceaux et ajoutez-le aux fruits de mer avec les crevettes et les calamars.

6 ▲ Préparez l'assaisonnement en mélangeant l'huile, le jus de citron, l'ail et les fanes de fenouil dans un bol. Salez, poivrez. Versez sur la salade et mélangez bien. Décorez avec les 8 moules restantes. Vous pouvez servir cette salade à température ambiante ou la mettre un peu au réfrigérateur auparavant.

JAMBON CRU AUX FIGUES FRAÎCHES *Prosciutto crudo con fichi*

Les jambons de la région de Parme ont la réputation d'être les meilleurs d'Italie. Coupé en tranches fines comme du papier à cigarette et accompagné de melon ou de figues fraîches, le jambon cru fait une excellente entrée.

POUR 4 PERSONNES

INGRÉDIENTS
*12 tranches très fines de prosciutto
ou d'autre jambon cru
8 figues vertes ou noires bien mûres
Pain frais croustillant
Beurre doux*

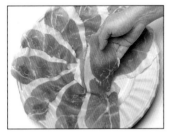

2 ▲ Essuyez les figues avec un torchon humide. Coupez-les en quartiers mais sans trancher la base. Si la peau est tendre, on peut la manger avec le fruit. Sinon, vous pouvez peler chaque quartier délicatement.

3 ▲ Disposez les figues sur le jambon. Servez avec du pain et du beurre.

1 ▲ Disposez les tranches de jambon sur un plat de service.

TOMATES–CERISES AU PESTO *Pomodorini con pesto*

Voici des amuse-gueules très gais et parfumés à servir à l'apéritif ou dans le cadre d'un buffet. Préparez le pesto à la saison où le basilic frais abonde, répartissez-le dans plusieurs récipients et congelez-le.

POUR 8 À 10 PERSONNES

INGRÉDIENTS
*450 g (1 lb) de tomates-cerises
(36 environ)*
POUR LE PESTO
*90 g (3 1/2 oz) de basilic frais
3 à 4 gousses d'ail
4 cuillerées à soupe de pignons
1 cuillerée à café de sel, ou plus selon
votre goût
100 ml (1/2 tasse) d'huile d'olive
3 cuillerées à soupe de parmesan frais
râpé
6 cuillerées à soupe de pecorino frais râpé*

1 Lavez les tomates. Étêtez-les et videz-les soigneusement avec une cuillère parisienne.

2 ▲ Mixez ensemble le basilic, l'ail, les pignons, le sel et l'huile d'olive dans un robot ménager jusqu'à obtention d'un mélange lisse. Versez-le dans un saladier en raclant les bords et le fond avec une spatule en caoutchouc. Vous pouvez congeler le pesto à ce stade, avant d'ajouter le fromage. Pour utiliser ensuite du pesto congelé, laissez-le dégeler, puis passez à l'étape 3.

3 Incorporez le fromage râpé (si vous ne trouvez pas de pecorino, remplacez-le par du parmesan). Poivrez, et resalez si besoin est.

4 ▲ Avec une petite cuillère, remplissez les tomates de pesto. Ces amuse-gueules seront encore meilleurs si vous les réfrigérez 1 heure environ avant de les servir.

ŒUFS DURS NAPPÉS DE SAUCE AU THON *Uova sode tonnate*

Voici une entrée consistante très facile et très rapide à préparer.

POUR 6 PERSONNES

INGRÉDIENTS
6 gros œufs
200 g (7 oz) de thon à l'huile en boîte
3 filets d'anchois
1 cuillerée à soupe de câpres égouttées
2 cuillerées à soupe de jus de citron frais
4 cuillerées à soupe d'huile d'olive
Sel et poivre noir fraîchement moulu
POUR LA MAYONNAISE
1 jaune d'œuf, à température ambiante
1 cuillerée à café de moutarde de Dijon
1 cuillerée à café de vinaigre de vin
*   blanc ou de jus de citron*
150 ml (²/3 de tasse) d'huile d'olive
Câpres et filets d'anchois, pour garnir
*   (facultatif)*

4 ▲ Incorporez le mélange au thon à la mayonnaise. Poivrez et resalez si nécessaire. Mettez au réfrigérateur pendant au moins 1 heure.

5 ▲ Coupez les œufs en deux dans le sens de la longueur, et disposez-les sur un plat de service. Nappez-les de sauce et garnissez avec des câpres et des filets d'anchois si vous le souhaitez. Servez cette entrée bien fraîche.

1 Faites durcir les œufs 12 à 14 minutes. Passez-les sous l'eau froide, puis écalez-les soigneusement et réservez-les.

2 ▲ Préparez la mayonnaise en fouettant le jaune d'œuf, la moutarde et le vinaigre ou le jus de citron dans un bol. Incorporez l'huile petit à petit en un filet continu sans cesser de fouetter.

3 Mettez dans un robot ménager le thon avec son huile, les anchois, les câpres, le jus de citron et l'huile d'olive et mixez le tout.

SALADE DE THON ET DE HARICOTS SECS *Tonno e fagioli*

Cette salade consistante peut faire un excellent plat unique. On peut aisément la préparer avec des ingrédients en conserve.

POUR 4 À 6 PERSONNES

INGRÉDIENTS
800 g (14 oz) de haricots secs en boîte
400 g (7 oz) de thon en boîte égoutté
4 cuillerées à soupe d'huile d'olive
2 cuillerées à soupe de jus de citron frais
Sel et poivre noir fraîchement moulu
1 cuillerée à soupe de persil frais haché
3 oignons nouveaux émincés

1 ▲ Versez les haricots dans une grande passoire et rincez-les à l'eau froide. Égouttez-les bien et mettez-les dans un plat de service.

2 ▲ Émiettez le thon en assez gros morceaux et disposez-les sur le lit de haricots.

3 ▲ Dans un bol, préparez l'assaisonnement : mélangez l'huile et le jus de citron, salez, poivrez et ajoutez le persil. Mélangez bien et versez sur les haricots et le thon.

4 ▲ Saupoudrez d'oignons émincés et mélangez bien avant de servir.

CARPACCIO À LA ROQUETTE

Carpaccio con rucola

Le carpaccio est préparé avec de la viande de bœuf crue marinée dans du jus de citron et de l'huile d'olive. On le sert traditionnellement avec des morceaux de parmesan frais.

POUR 4 PERSONNES

INGRÉDIENTS
1 gousse d'ail pelée et coupée en deux
1 1/2 citron
50 ml (1/4 de tasse) d'huile
  d'olive vierge extra
Sel et poivre noir fraîchement moulu
2 bouquets de roquette
4 tranches de bœuf coupées très fines (gîte
  à la noix)
115 g (4 oz) de parmesan frais, coupé en
  tranches fines

1 Frottez le fond et les bords d'un bol avec la face tranchée de la gousse d'ail. Pressez les citrons dans le bol, et ajoutez l'huile d'olive. Fouettez le tout, salez et poivrez. Laissez reposer la sauce au moins 15 minutes avant de l'utiliser.

2 ▲ Lavez soigneusement la roquette et retirez les tiges les plus coriaces. Disposez la roquette autour d'un plat de service, ou répartissez-la sur quatre assiettes.

3 ▲ Disposez le bœuf au centre du plat, versez la sauce dessus en la répartissant bien sur toute la viande. Ajoutez les morceaux de parmesan. Servez immédiatement.

POIVRONS FARCIS AU THON

Peperoni rossi con ripieno di tonno

Ce mélange savoureux est originaire du Sud de l'Italie. Les poivrons grillés ont un goût fumé, légèrement sucré, qui s'accorde particulièrement bien avec le poisson.

POUR 4 À 6 PERSONNES

INGRÉDIENTS
3 gros poivrons rouges
200 g (7 oz) de thon en boîte égoutté
2 cuillerées à soupe de jus de citron frais
3 cuillerées à soupe d'huile d'olive
6 olives vertes ou noires, dénoyautées
  et hachées
2 cuillerées à soupe de persil frais haché
1 gousse d'ail finement haché
1 branche de céleri de taille moyenne,
  très finement hachée
Sel et poivre noir fraîchement moulu

1 Disposez les poivrons sous le gril de votre four, et retournez-les de temps en temps jusqu'à ce qu'ils soient noirs et gonflés sur tous les côtés. Sortez-les du four et mettez-les dans un sachet en papier.

2 ▲ Laissez-les reposer 5 minutes, puis pelez-les. Coupez les poivrons en quartiers, et retirez les queues et les graines.

3 Émiettez le thon et mélangez-le au jus de citron et à l'huile. Ajoutez les ingrédients restants. Salez et poivrez.

4 ▲ Étalez les morceaux de poivron bien à plat, la peau dessous. Répartissez équitablement le mélange à base de thon sur les différents morceaux de poivron. Étalez-le en une couche régulière. Roulez les quartiers de poivron et mettez-les au réfrigérateur pendant au moins 1 heure. Juste avant de servir, coupez chaque roulé en deux avec un couteau bien tranchant.

MOULES FARCIES

Cozze gratinate

Vous pouvez aussi préparer cette délicieuse spécialité du Sud de l'Italie avec de grosses palourdes.
Quoi qu'il en soit, choisissez toujours les coquillages les plus frais possible.

POUR 4 PERSONNES

INGRÉDIENTS

750 g (1 ¹/2 lb) de grosses moules
  fraîches dans leurs coquilles
75 g (3 oz) de beurre
  à température ambiante
25 g (1 oz) de chapelure
2 gousses d'ail finement hachées
3 cuillerées à soupe de persil frais haché
25 g (1 oz) de parmesan frais râpé
Sel et poivre noir fraîchement moulu

1 ▲ Raclez les moules sous l'eau
froide, et ébarbez-les avec un petit
couteau. Préchauffez le four à
230 °C (450°F).

2 ▲ Mettez les moules dans une grande
cocotte, arrosez-les d'un verre d'eau et
faites-les cuire à feu moyen. Dès
qu'elles s'ouvrent, sortez-les une par
une. Retirez et jetez les demi-coquilles
vides, et laissez les moules dans l'autre
moitié de coquille. (Jetez aussi les
moules qui ne se sont pas ouvertes.)

3 ▲ Mélangez tous les autres
ingrédients dans un bol. Versez le
tout dans une petite casserole et
chauffez-le doucement jusqu'à ce
que la farce commence à fondre.

4 ▲ Disposez les moules sur un plat
à four ou une grille à pâtisserie.
Versez un peu de farce sur chaque
moule et enfournez pendant
7 minutes environ, jusqu'à ce que le
dessus soit légèrement doré. Servez
chaud ou à température ambiante.

SOUPE AU FROMAGE ET AUX ŒUFS   *Stracciatella*

Ce sont les œufs et le fromage incorporés dans le bouillon chaud qui donnent à cette soupe romaine traditionnelle sa texture caractéristique, légèrement « caillée ».

POUR 6 PERSONNES

INGRÉDIENTS
3 œufs
3 cuillerées à soupe de semoule fine
6 cuillerées à soupe de parmesan frais
    râpé
1 pincée de noix muscade
1,5 l (6 1/4 tasses) de bouillon
    de volaille ou de bœuf
Sel et poivre noir fraîchement moulu
12 tranches de pain

3 ▲ Lorsque le bouillon est chaud, et quelques minutes avant de servir la soupe, incorporez le mélange à base d'œufs et fouettez le tout. Augmentez légèrement le feu, et portez à ébullition. Salez, poivrez et laissez cuire 3 à 4 minutes. En cuisant, les œufs donnent à la soupe son aspect grumeleux.

4 ▲ Pour servir, faites griller les tartines de pain et placez-en deux au fond de chaque assiette. Versez dessus la soupe très chaude et servez immédiatement.

1 ▲ Battez les œufs, la semoule et le fromage dans une terrine. Ajoutez la muscade, puis incorporez un verre de bouillon froid.

2 ▲ Portez le reste du bouillon à ébullition dans une grande casserole.

MINESTRONE AU PESTO

Minestrone con pesto

Le minestrone est une soupe épaisse faite avec tous les légumes de saison que l'on a sous la main. On peut également y ajouter des petites pâtes ou du riz. La recette que nous vous proposons contient en outre du pesto.

POUR 6 PERSONNES

INGRÉDIENTS
*1,5 l (6 1/4 tasses) d'eau, de bouillon,
  ou d'un mélange des deux
3 cuillerées à soupe d'huile d'olive
1 gros oignon finement haché
1 poireau émincé
2 carottes finement hachées
1 branche de céleri finement hachée
2 gousses d'ail finement hachées
2 pommes de terre épluchées et coupées
  en dés
1 brin de thym frais ou 1/4 de cuillerée à
  café de feuilles de thym séchées
1 feuille de laurier
Sel et poivre noir fraîchement moulu
115 g (4 oz) de petits pois frais
  ou surgelés
2 à 3 courgettes finement hachées
3 tomates de taille moyenne, pelées
  et concassées
425 g (15 oz) de haricots secs cuits ou
  en boîte
3 cuillerées à soupe de pesto
Parmesan frais râpé, pour servir*

1 Dans une casserole de taille moyenne, faites frémir l'eau ou le bouillon.

2 ▲ Dans une autre casserole, chauffez l'huile d'olive. Ajoutez l'oignon et le poireau et faites-les dorer 5 à 6 minutes. Ajoutez les carottes, le céleri et l'ail, et laissez cuire à feu moyen pendant 5 minutes, en remuant souvent. Ajoutez les pommes de terre et poursuivez la cuisson encore 2 à 3 minutes.

3 Versez le bouillon très chaud et mélangez bien. Ajoutez le thym et le laurier, salez et poivrez. Portez à ébullition, puis baissez le feu légèrement et faites cuire ainsi pendant 10 à 12 minutes.

4 Ajoutez les petits pois (s'ils sont frais) et les courgettes. Laissez frémir 5 minutes Ajoutez ensuite les tomates (et les petits pois s'ils sont surgelés). Couvrez et faites bouillir 5 à 8 minutes.

5 ▲ Ajoutez les haricots 15 minutes avant de servir la soupe. Laissez frémir 10 minutes, puis ajoutez le pesto. Vérifiez l'assaisonnement, puis laissez cuire encore 5 minutes. Retirez ensuite la casserole du feu et laissez reposer la soupe quelques minutes. Servez-la avec du parmesan râpé.

SOUPE AU POTIRON

Minestrone di zucca

Cette belle soupe dorée est parfaite pour un dîner automnal.

POUR 4 PERSONNES

INGRÉDIENTS
*450 g (1 lb) de potiron pelé
50 g (2 oz) de beurre
1 oignon moyen finement haché
750 ml (3 1/2 tasses) de bouillon
  de volaille ou d'eau
475 ml (2 tasses) de lait
1 pincée de muscade râpée
Sel et poivre noir fraîchement moulu
40 g (1 1/2 oz) de spaghettis coupés en
  petits morceaux
6 cuillerées à soupe de parmesan frais
  râpé*

1 Coupez le potiron en cubes de 2,5 cm (1 po) de côté environ.

2 ▲ Dans une casserole, chauffez le beurre et faites revenir l'oignon 6 à 8 minutes. Ajoutez le potiron, et faites cuire 2 à 3 minutes.

3 Ajoutez le bouillon ou l'eau et poursuivez la cuisson pendant 15 minutes environ, jusqu'à ce que le potiron soit tendre. Retirez du feu.

4 Réduisez la soupe en purée à l'aide d'un mixer ou d'un robot ménager. Remettez-la dans la casserole, puis incorporez le lait et la muscade. Salez et poivrez. Portez le tout à ébullition.

5 Ajoutez les spaghettis à la soupe, et poursuivez la cuisson jusqu'à ce que les pâtes soient cuites. Ajoutez le parmesan et servez immédiatement.

SOUPE DE BROCOLIS

Zuppa di broccoletti

On sert cette soupe de brocolis avec des toasts aillés.

POUR 6 PERSONNES

INGRÉDIENTS
675 g (1 ¹/2 lb) de bouquets de brocolis
1,75 l (7 ¹/2 tasses) de bouillon
  de poule ou de légumes
Sel et poivre noir fraîchement moulu
1 cuillerée à soupe de jus de citron frais
POUR SERVIR
6 tranches de pain de mie
1 grosse gousse d'ail coupée en deux
Parmesan frais râpé (facultatif)

1 Pelez les tiges des brocolis avec un petit couteau bien tranchant, en partant de la base et en tirant doucement vers le haut en direction des bouquets. (La peau se détache très facilement.) Coupez les brocolis en petits morceaux.

2 Portez le bouillon à ébullition dans une grande casserole. Ajoutez les brocolis et laissez frémir 30 minutes.

3 ▲ Réduisez à peu près la moitié de la soupe en purée et incorporez-la au reste du mélange. Ajoutez le sel, le poivre et le jus de citron.

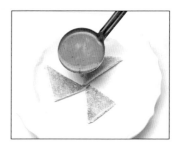

4 ▲ Juste avant de servir, réchauffez la soupe en veillant à ce qu'elle ne bouille pas. Faites griller les toasts, frottez-les avec l'ail et coupez-les en quatre. Mettez des morceaux de pain dans chaque assiette, et servez immédiatement la soupe avec du parmesan si vous le souhaitez.

SOUPE DE TOMATES AU PAIN

Pappa al pomodoro

Cette recette florentine a été imaginée pour ne pas gâcher le pain rassis. Vous pouvez la préparer avec des tomates fraîches bien mûres ou en boîte.

POUR 4 PERSONNES

INGRÉDIENTS
6 cuillerées à soupe d'huile d'olive
1 petit morceau de piment séché émietté
175 g (6 oz) de pain rassis,
  coupé en cubes
1 oignon moyen finement haché
2 gousses d'ail finement hachées
675 g (1 ¹/2 lb) de tomates bien mûres,
  pelées et coupées en morceaux, ou bien
  800 g (14 oz) de tomates en boîte,
  pelées et concassées
3 cuillerées à soupe de basilic frais haché
1,5 l (6 ¹/4 tasses) de bouillon de viande
  léger ou d'eau, ou d'un mélange des
  deux
Sel et poivre noir fraîchement moulu
Huile d'olive vierge extra, pour servir

1 Chauffez 4 cuillerées à soupe d'huile d'olive dans une grande casserole. Faites revenir le piment si vous en mettez, et remuez 1 à 2 minutes. Ajoutez les morceaux de pain et faites-les dorer. Retirez-les du feu et posez-les dans une assiette, sur une feuille de papier absorbant.

2 ▲ Ajoutez le reste d'huile, l'oignon et l'ail et faites-les revenir jusqu'à ce que l'oignon ramollisse. Ajoutez les tomates, le pain et le basilic. Salez. Faites cuire à feu moyen, pendant 15 minutes environ, en remuant de temps en temps.

3 Pendant ce temps, portez le bouillon ou l'eau à ébullition. Ajoutez-le à la préparation à base de tomates et mélangez bien. Portez de nouveau à ébullition, puis baissez le feu et laissez frémir une vingtaine de minutes.

4 ▲ Retirez la soupe du feu. Écrasez les tomates et le pain à la fourchette. Poivrez et resalez si nécessaire. Laissez reposer 10 minutes. Juste avant de servir, vous pouvez ajouter un filet d'huile d'olive.

SOUPE DE HARICOTS BLANCS   *Minestrone di fagioli*

Le secret de cette recette de la campagne toscane réside dans la purée de haricots blancs qui donne à la soupe une consistance très appréciée par les froides journées d'hiver.

POUR 6 PERSONNES

INGRÉDIENTS
350 g (12 oz) de haricots blancs secs
1 feuille de laurier
5 cuillerées à soupe d'huile d'olive
1 oignon moyen finement haché
1 carotte finement hachée
1 branche de céleri finement hachée
3 tomates moyennes, pelées et coupées
  en petits morceaux
2 gousses d'ail finement hachées
1 cuillerée à café de feuilles de thym
  frais ou 1/2 cuillerée à café de feuilles
  de thym séché
750 ml (3 1/2 tasses) d'eau bouillante
Sel et poivre noir fraîchement moulu
Huile d'olive vierge extra, pour servir

1 ▲ Faites tremper les haricots dans un grand saladier d'eau froide pendant une nuit. Égouttez-les puis mettez-les dans une grande casserole d'eau. Portez le tout à ébullition et laissez cuire 20 minutes. Égouttez les haricots, puis remettez-les dans la casserole. Couvrez-les d'eau froide et portez de nouveau à ébullition. Ajoutez la feuille de laurier et poursuivez la cuisson pendant 1 à 2 heures, jusqu'à ce que les haricots soient tendres. Égouttez-les de nouveau et retirez la feuille de laurier.

2 Réduisez les trois quarts des haricots en purée à l'aide d'un robot ménager, ou passez-les au presse-purée, en ajoutant un peu d'eau si besoin est.

3 Chauffez l'huile dans une grande casserole. Faites revenir l'oignon, puis ajoutez la carotte et le céleri et laissez cuire pendant 5 minutes.

4 ▲ Ajoutez les tomates, l'ail et le thym. Faites cuire 6 à 8 minutes en remuant fréquemment.

5 ▲ Versez l'eau bouillante sur les légumes. Ajoutez les haricots entiers et la purée de haricots, salez et poivrez. Laissez frémir 10 à 15 minutes. Servez immédiatement dans des assiettes à soupe ou des écuelles, avec un filet d'huile d'olive.

SOUPE DE POISSON « CIUPPIN »

Ciuppin

La Ligurie est une région connue pour ses soupes de poisson. Dans cette recette, les poissons sont cuits dans un bouillon de petits légumes. Cette soupe peut aussi servir de sauce pour accompagner un plat de pâtes.

POUR 6 PERSONNES

INGRÉDIENTS

*1 kg (2 lb) de poissons variés, entiers ou
  en morceaux (colin, merlan, roussette,
  cabillaud ou rouget par exemple)
6 cuillerées à soupe d'huile d'olive
1 oignon moyen finement haché
1 branche de céleri finement hachée
1 carotte hachée
4 cuillerées à soupe de persil frais haché
175 ml (3/4 de tasse) de vin blanc sec
2 gousses d'ail finement hachées
3 tomates pelées et coupées en morceaux
1,5 l (6 1/4 tasses) d'eau bouillante
Sel et poivre noir fraîchement moulu
Tranches de pain, pour servir
Huile d'olive, pour servir*

3 ▲ Versez le vin, augmentez le feu et faites cuire le tout. Ajoutez l'ail et les tomates. Poursuivez la cuisson 3 à 4 minutes en remuant de temps en temps. Versez l'eau bouillante et portez de nouveau le tout à ébullition. Faites cuire ensuite à feu moyen pendant 15 minutes.

4 Ajoutez les morceaux de poissons et laissez frémir 10 à 15 minutes, jusqu'à ce qu'ils soient tendres. Salez et poivrez.

5 ▲ Retirez les morceaux de poissons de la soupe avec une écumoire. Enlevez et jetez les arêtes, puis réduisez les morceaux de poissons en purée. Rectifiez l'assaisonnement. Si la soupe est trop épaisse, ajoutez un peu d'eau.

6 Faites griller les tranches de pain et mouillez-les de quelques gouttes d'huile d'olive. Placez quelques tranches de pain dans chaque assiette, puis versez la soupe dessus.

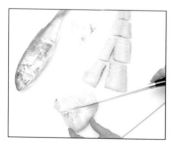

1 ▲ Écaillez et videz les poissons, nettoyez-les bien mais laissez la tête. Coupez-les en gros morceaux, et rincez-les à l'eau froide.

2 Chauffez l'huile dans une grande casserole et faites dorer l'oignon à feu doux jusqu'à ce qu'il commence à ramollir. Ajoutez le céleri et la carotte et laissez cuire 5 minutes. Ajoutez le persil.

VARIANTE

Si vous souhaitez utiliser cette soupe pour accompagner un plat de pâtes, faites-la cuire davantage pour qu'elle réduise et prenne la consistance d'une sauce.

SOUPE D'ORGE ET DE LÉGUMES

Minestrone d'orzo

Cette recette a vu le jour dans l'Alto Adige, une région montagneuse du Nord de l'Italie. C'est une soupe épaisse, nourrissante et appréciée en hiver. On la sert avec du pain frais bien croustillant.

POUR 6 À 8 PERSONNES

INGRÉDIENTS
225 g (8 oz) d'orge perlé, de préférence
    issu de l'agriculture biologique
2 l (9 tasses) de bouillon de viande
    ou d'eau, ou d'un mélange des deux
3 cuillerées à soupe d'huile d'olive
2 carottes finement émincées
1 gros oignon finement haché
2 branches de céleri finement hachées
1 poireau finement émincé
1 grosse pomme de terre coupée en
    petits morceaux
115 g (4 oz) de jambon coupé en dés
1 feuille de laurier
3 cuillerées à soupe de persil frais haché
1 petit brin de romarin frais
Sel et poivre noir fraîchement moulu
Parmesan frais râpé, pour servir
    (facultatif)

1 Lavez l'orge et faites-le tremper dans l'eau froide pendant au moins 3 heures.

2 Égouttez-le et mettez-le dans une grande casserole avec le bouillon ou l'eau. Portez à ébullition, baissez le feu et laissez frémir pendant 1 heure.

4 ▲ Rectifiez l'assaisonnement si nécessaire. Servez très chaud avec du parmesan râpé.

3 ▲ Ajoutez l'huile, tous les légumes, le jambon, et les aromates. Ajoutez un peu d'eau si besoin est : les ingrédients doivent être recouverts d'au moins 2,5 cm (1 po) de liquide. Laissez mijotez 1 heure à 1 h 30, jusqu'à ce que les légumes et l'orge soient bien tendres.

VARIANTE

Vous pouvez facilement faire de cette soupe un plat végétarien en utilisant un bouillon de légumes au lieu d'un bouillon de viande et en omettant le jambon.

SOUPE DE RIZ AUX FÈVES

Minestra di riso e fave

Cette soupe épaisse est une excellente occasion de cuisiner les fèves fraîches lorsque c'est la saison. Le reste de l'année, vous pouvez bien sûr utiliser des fèves surgelées.

POUR 4 PERSONNES

INGRÉDIENTS
1 kg (2 lb) de fèves fraîches ou 400 g
    (14 oz) de fèves surgelées écossées,
    décongelées
6 cuillerées à soupe d'huile d'olive
1 oignon moyen finement haché
Sel et poivre noir fraîchement moulu
2 tomates moyennes, pelées et coupées
    en petits morceaux
225 g (8 oz) de risotto
    ou d'un autre riz non précuit
25 g (1 oz) de beurre
1 l (4 tasses) d'eau bouillante
Parmesan frais râpé, pour servir
    (facultatif)

1 ▲ Écossez les fèves si elles sont fraîches. Portez une grande casserole d'eau à ébullition et faites blanchir les fèves, fraîches ou surgelées, pendant 3 à 4 minutes. Rincez-les à l'eau froide et pelez-les.

2 Chauffez l'huile dans une grande casserole, et faites revenir l'oignon à feu doux. Ajoutez les fèves et poursuivez la cuisson 5 minutes environ, en remuant souvent pour bien les enrober d'huile. Salez et poivrez. Ajoutez les tomates, et faites cuire 5 minutes en remuant fréquemment.

3 Ajoutez le riz. Une à 2 minutes plus tard, ajoutez le beurre, et remuez jusqu'à ce qu'il fonde. Versez l'eau bouillante petit à petit. Vérifiez l'assaisonnement. Poursuivez la cuisson jusqu'à ce que le riz soit cuit. Servez chaud, avec du parmesan râpé.

SOUPE DE PÂTES ET DE HARICOTS SECS *Pasta e fagioli*

Cette soupe paysanne est très épaisse. En Italie, on la prépare avec des haricots secs ou frais,
mais jamais en boîte. Elle se sert chaude ou à température ambiante.

<u>POUR 4 À 6 PERSONNES</u>

INGRÉDIENTS
300 g (11 oz) de haricots secs
400 g (14 oz) de tomates en boîte,
  concassées avec leur jus
3 gousses d'ail écrasées
2 feuilles de laurier
1 pincée de poivre noir grossièrement
  moulu
6 cuillerées à soupe d'huile d'olive
750 ml (3 1/2 tasses) d'eau
2 cuillerées à café de sel
200 g (7 oz) de ditalinis ou d'autres
  petites pâtes
3 cuillerées à soupe de persil frais haché
Parmesan frais râpé, pour servir
Huile d'olive, pour servir (facultatif)

1 Laissez tremper les haricots toute la nuit dans l'eau froide. Rincez-les et égouttez-les.

2 Mettez les haricots dans une grande casserole et couvrez-les d'eau. Portez à ébullition et faites cuire 10 minutes. Rincez-les et égouttez-les de nouveau.

3 ▲ Remettez les haricots dans la casserole. Versez suffisamment d'eau pour les couvrir de 2,5 cm (1 po). Ajoutez les tomates grossièrement concassées avec leur jus, l'ail, le laurier, le poivre et l'huile. Laissez mijoter
1 h 30 à 2 heures, jusqu'à ce que les haricots soient bien tendres. Rajoutez de l'eau si besoin est.

4 ▲ Retirez les feuilles de laurier. Passez environ la moitié des haricots au presse-purée ou au mixer, puis remettez cette purée dans la casserole. Mélangez aux autres haricots, ajoutez l'eau et portez à ébullition.

5 ▲ Ajoutez le sel et les pâtes. Mélangez, et poursuivez la cuisson jusqu'à ce que les pâtes soient cuites. Laissez reposer au moins 10 minutes avant de servir. Servez avec du parmesan râpé proposé à part. En Italie, on verse enfin un filet d'huile d'olive sur chaque assiette de soupe.

SOUPE DE PÂTES ET DE LENTILLES   *Pasta e lenticchie*

Ce sont généralement les petites lentilles brunes cultivées dans le Centre de l'Italie que l'on utilise pour préparer cette soupe, mais vous pouvez les remplacer par des lentilles vertes si vous préférez.

POUR 4 À 6 PERSONNES

INGRÉDIENTS

225 g (8 oz) de lentilles sèches
6 cuillerées à soupe d'huile d'olive
50 g (2 oz) de jambon coupé en dés
1 oignon moyen finement haché
1 branche de céleri finement hachée
1 carotte finement hachée
2 l (9 tasses) de bouillon de poule
  ou d'eau
1 feuille de sauge fraîche, ou une pointe
  de sauge séchée
1 brin de thym frais ou 1/4 de cuillerée
  à café de thym séché
Sel et poivre noir fraîchement moulu
175 g (6 oz) de ditalins ou d'autres
  petites pâtes à potage

1 ▲ Mettez les lentilles dans un saladier, couvrez-les d'eau froide, et laissez-les tremper 2 à 3 heures. Rincez-les et égouttez-les.

2 ▲ Dans une grande casserole, chauffez l'huile et faites sauter le jambon ou petit salé pendant 2 à 3 minutes. Ajoutez l'oignon, et faites-le revenir à feu doux.

3 ▲ Ajoutez le céleri et la carotte, et faites cuire 5 minutes en remuant fréquemment. Ajoutez les lentilles, et remuez pour bien les enrober de matière grasse.

4 ▲ Versez le bouillon ou l'eau et ajoutez les aromates. Portez le tout à ébullition, puis couvrez et laissez cuire à feu moyen pendant 1 heure, jusqu'à ce que les lentilles soient tendres. Salez et poivrez.

5 Ajoutez les pâtes et faites-les cuire al dente. Laissez reposer la soupe quelques minutes avant de la servir.

SOUPE DE PÂTES ET DE POIS CHICHES *Pasta e ceci*

. . . .

Voici une autre soupe épaisse originaire d'Italie centrale. En ajoutant un brin de romarin frais,
on lui donne un goût typiquement méditerranéen.

POUR 4 À 6 PERSONNES

INGRÉDIENTS
200 g (7 oz) de pois chiches secs
3 gousses d'ail pelées
1 feuille de laurier
6 cuillerées à soupe d'huile d'olive
1 pincée de poivre noir fraîchement
* moulu*
50 g (2 oz) de pancetta, bacon ou petit
* salé coupé en dés*
1 brin de romarin frais
600 ml (1 tasse 1/2) d'eau
150 g (5 oz) de ditalinis ou d'autres
* petites pâtes creuses*
Sel
Parmesan frais râpé, pour servir
* (facultatif)*

2 ▲ Remettez les pois chiches dans
la casserole. Couvrez-les d'eau, puis
ajoutez une gousse d'ail, la feuille de
laurier, 3 cuillerées à soupe d'huile et
le poivre.

4 ▲ Faites revenir le petit salé
doucement dans le reste d'huile avec
le romarin et le reste d'ail, jusqu'à ce
qu'il soit à peine doré. Jetez ensuite
l'ail et le romarin.

1 ▲ Faites tremper les pois chiches
dans l'eau toute la nuit. Rincez-les
bien et égouttez-les. Mettez-les dans
une grande casserole, couvrez-les
d'eau et faites-les bouillir 15 minutes.
Rincez-les et égouttez-les de
nouveau.

3 ▲ Laissez mijoter pendant 2 heures,
jusqu'à ce que les pois soient tendres,
en rajoutant de l'eau si besoin est.
Retirez la feuille de laurier. Passez à
peu près la moitié des pois au presse-
purée ou au mixer avec quelques
cuillerées du liquide de cuisson.
Remettez la purée dans la casserole
et mélangez aux autres pois.

5 ▲ Ajoutez le porc et son huile au
mélange à base de pois chiches.

6 ▲ Ajoutez l'eau et portez à
ébullition. Rectifiez l'assaisonnement
si nécessaire. Jetez les pâtes et faites-
les cuire al dente. Proposez du
parmesan aux convives.

VARIANTE

Avant de servir, laissez la soupe
reposer 10 minutes.
Cela lui donnera plus d'épaisseur
et de saveur.

LES LÉGUMES

Les couleurs et les saveurs de la Méditerranée sont
au cœur de cette sélection de plats de légumes. Des artichauts
farcis au fenouil braisé en passant par la trévise grillée,
vous n'aurez que l'embarras du choix.

ARTICHAUTS FARCIS

Carciofi ripieni

Les artichauts poussant pratiquement à l'état sauvage dans le Sud de l'Italie, on les retrouve dans un grand nombre de recettes. Dans celle-ci, ils sont farcis et cuits au four entiers.

POUR 6 PERSONNES

INGRÉDIENTS
1 citron
6 gros artichauts
POUR LA FARCE
2 tranches de pain de mie sans la croûte
3 filets d'anchois finement hachés
2 gousses d'ail finement hachées
2 cuillerées à soupe de câpres hachées
3 cuillerées à soupe de persil frais
  finement haché
4 cuillerées à soupe de chapelure
4 cuillerées à soupe d'huile d'olive
Sel et poivre noir fraîchement moulu
POUR LA CUISSON
1 gousse d'ail coupée en trois ou quatre
1 brin de persil frais
3 cuillerées à soupe d'huile d'olive

1 Préparez la farce : faites tremper la mie de pain dans un peu d'eau pendant 5 minutes, puis pressez-la pour éliminer l'excès de liquide. Mettez-la dans un saladier avec les autres ingrédients de la farce et mélangez.

2 ▲ Pressez le citron, et mettez le jus et les moitiés pressées dans un grand saladier d'eau froide. Lavez les artichauts et préparez-les un par un. Coupez l'extrémité de la queue, puis pelez-la avec un petit couteau, en tirant vers le haut en direction des feuilles. Retirez les petites feuilles autour de la base, et coupez le haut des feuilles extérieures foncées jusqu'à ce que vous atteigniez les grandes feuilles intérieures. Coupez l'extrémité de ces feuilles avec un couteau tranchant.

3 ▲ Ouvrez légèrement l'artichaut en écartant les feuilles pour atteindre le foin. Détachez-le en coupant tout autour avec un couteau et retirez-le avec une petite cuillère. Vous avez ainsi dégagé une cavité au milieu des feuilles d'artichaut. Une fois que chaque artichaut a été préparé de la sorte, placez-le dans le saladier d'eau citronnée pour qu'il ne noircisse pas. Préchauffez le four à 190 °C (375°F).

4 ▲ Mettez l'ail et le persil dans un plat à four assez grand pour contenir les 6 artichauts verticalement sans les empiler. Versez 1 cm (1/2 po) d'eau froide. Retirez les artichauts du saladier, égouttez-les rapidement et remplissez-les de farce. Disposez-les verticalement dans le plat, puis versez un filet d'huile d'olive sur chacun d'entre eux. Couvrez le plat de façon hermétique avec du papier aluminium. Enfournez pendant 1 heure environ, jusqu'à ce que les artichauts soient tendres.

ASPERGES À LA MILANAISE

Asparagi alla milanese

Un œuf au plat et du parmesan râpé donnent à ces asperges un caractère original.

POUR 4 PERSONNES

INGRÉDIENTS
450 g (1 lb) d'asperges fraîches
65 g (2 ¹/2 oz) de beurre
4 œufs
*4 cuillerées à soupe de parmesan frais
    râpé*
Sel et poivre noir fraîchement moulu

1 ▲ Coupez l'extrémité des asperges. Épluchez la moitié inférieure en insérant à la base la pointe d'un couteau sous la peau épaisse et en tirant vers le haut en direction de la pointe. Lavez les asperges à l'eau froide.

2 Portez une grande casserole d'eau à ébullition. Faites blanchir les asperges jusqu'à ce qu'elles soient à peine tendres.

3 ▲ Pendant que les asperges cuisent, faites fondre un tiers du beurre dans une poêle. Lorsqu'il mousse, cassez les œufs délicatement, un par un, et faites-les frire en veillant à ce que les jaunes soient encore liquides.

4 ▲ Dès que les asperges sont cuites, sortez-les de l'eau à l'aide de deux spatules ajourées. Placez-les sur une grille à pâtisserie recouverte d'un torchon propre pour qu'elles s'égouttent. Répartissez les asperges sur quatre assiettes préchauffées. Placez ensuite un œuf sur chacune, et saupoudrez le tout de parmesan râpé.

5 ▲ Faites fondre le beurre restant dans la poêle, puis versez-le sur les œufs et le fromage. Servez immédiatement avec du sel et du poivre.

ARTICHAUTS À L'ÉTOUFFÉE · Carciofi in umido

En Italie, les artichauts sont parfois émincés très finement et servis crus en salade, mais on peut également les préparer à l'étouffée, avec de l'ail, du persil et du vin.

POUR 6 PERSONNES

INGRÉDIENTS
1 citron
4 gros artichauts ou 6 petits
2 cuillerées à soupe de beurre
4 cuillerées à soupe d'huile d'olive
2 gousses d'ail finement hachées
4 cuillerées à soupe de persil frais haché
Sel et poivre noir fraîchement moulu
3 cuillerées à soupe d'eau
6 cuillerées à soupe de lait
6 cuillerées à soupe de vin blanc

1 Pressez le citron, et mettez le jus et les moitiés pressées dans un grand saladier d'eau froide. Lavez les artichauts et préparez-les un par un. Coupez l'extrémité de la queue, puis pelez-la avec un petit couteau, en tirant vers le haut en direction des feuilles. Retirez les petites feuilles autour de la base de la queue et coupez le haut des feuilles extérieures foncées jusqu'à ce que vous atteigniez les grandes feuilles du cœur.

2 ▲ Étêtez l'artichaut, puis coupez-le en quatre ou six morceaux.

3 Détachez le foin de chaque morceau. Mettez les morceaux d'artichaut dans le saladier d'eau citronnée pour qu'ils ne noircissent pas.

4 Faites blanchir les artichauts dans une grande casserole d'eau bouillante pendant 4 à 5 minutes. Égouttez-les.

5 ▲ Faites chauffer le beurre et l'huile d'olive dans une grande casserole et faites revenir l'ail et le persil pendant 2 à 3 minutes. Ajoutez les artichauts, salez et poivrez. Versez l'eau et le lait et faites cuire une dizaine de minutes, jusqu'à ce que le liquide se soit évaporé. Ajoutez le vin, couvrez et poursuivez la cuisson jusqu'à ce que les artichauts soient tendres. Servez chaud ou à température ambiante.

HARICOTS VERTS À LA TOMATE · Fagiolini verdi con pomodori

Ce plat est particulièrement savoureux si l'on utilise des tomates fraîches.

POUR 4 À 6 PERSONNES

INGRÉDIENTS
450 g (1 lb) de haricots verts frais
3 cuillerées à soupe d'huile d'olive
1 oignon de taille moyenne, rouge de préférence, très finement émincé
350 g (12 oz) de tomates fraîches ou en boîte, pelées et coupées en petits morceaux
125 ml (1/2 tasse) d'eau
Sel et poivre noir fraîchement moulu
5 à 6 feuilles de basilic frais ciselées

1 Équeutez les haricots verts et lavez-les à grande eau. Égouttez-les.

2 ▲ Chauffez l'huile dans une grande poêle avec un couvercle et faites revenir l'oignon 5 à 6 minutes. Ajoutez les tomates et faites-les cuire à feu moyen 6 à 8 minutes. Versez l'eau, salez et poivrez et ajoutez le basilic.

3 ▲ Ajoutez les haricots verts et remuez pour bien les enrober de sauce. Couvrez la poêle et faites cuire 15 à 20 minutes à feu doux, jusqu'à ce que les haricots soient tendres. Remuez de temps en temps et ajoutez un peu d'eau si la sauce est trop épaisse. Servez chaud ou froid.

AUBERGINES GRATINÉES

Parmigiana di melanzane

Ce plat très connu est une spécialité du Sud de l'Italie.

POUR 4 À 6 PERSONNES

INGRÉDIENTS
1 kg (2 lb) d'aubergines
Farine
Huile
35 g (1 ¹/2 oz) de parmesan frais râpé
400 g (14 oz) de mozzarelle,
 coupée en tranches fines
Sel et poivre noir fraîchement moulu
POUR LA SAUCE TOMATE
4 cuillerées à soupe d'huile d'olive
1 oignon moyen finement haché
1 gousse d'ail finement hachée
450 g (1 lb) de tomates, fraîches
 ou en boîte, coupées en morceaux,
 avec leur jus
Sel et poivre noir fraîchement moulu
Quelques feuilles de basilic frais ou

1 Lavez les aubergines. Coupez-les
en rondelles de 1 cm (¹/2 po)
d'épaisseur environ, salez-les et
laissez-les dégorger pendant 1 heure.

2 ▲ Pendant ce temps, préparez la
sauce tomate. Chauffez l'huile dans
une casserole de taille moyenne et
faites revenir l'oignon 5 à 8 minutes à
feu moyen, jusqu'à ce qu'il soit
translucide. Ajoutez l'ail et les tomates
(plus 3 cuillerées à soupe d'eau si
vous utilisez des tomates fraîches).
Salez, poivrez, ajoutez le basilic ou le
persil, et faites cuire 20 à 30 minutes.
Passez le tout au presse-purée ou au
mixer.

3 Épongez les rondelles d'aubergines
avec une feuille de papier absorbant,
et farinez-les. Chauffez un peu
d'huile dans une poêle. Faites frire la
moitié des aubergines à feu doux, en
couvrant. Retournez-les et faites-les
cuire de l'autre côté. Retirez-les de
la poêle et répétez l'opération avec
les rondelles restantes.

4 Préchauffez le four à 180 °C (350°F).
Graissez un plat à four ou un moule et
recouvrez le fond de sauce tomate.
Disposez une couche de rondelles
d'aubergines, saupoudrez-les de
parmesan râpé, salez, poivrez et couvrez
d'une couche de mozzarelle. Nappez de
quelques cuillerées de sauce tomate.
Répétez l'opération et terminez par
une couche de sauce tomate
saupoudrée de parmesan. Arrosez d'un
filet d'huile d'olive et enfournez
pendant 45 minutes environ.

AUBERGINES EN SAUCE AIGRE-DOUCE

Caponata

Ce délicieux plat sicilien associe aubergines et céleri dans une surprenante sauce piquante.

POUR 4 PERSONNES

INGRÉDIENTS
700 g (1 ¹/2 lb) d'aubergines
2 cuillerées à soupe d'huile d'olive
1 oignon finement émincé
1 gousse d'ail finement hachée
225 g (8 oz) de tomates en boîte pelées
 et concassées
125 ml (¹/2 tasse) de vinaigre
 de vin blanc
2 cuillerées à soupe de sucre
Sel et poivre noir fraîchement moulu
Quelques branches tendres du cœur
 d'un céleri (175 g (6 oz) environ)
2 cuillerées à soupe de câpres rincées
75 g (3 oz) d'olives vertes dénoyautées
Huile à friture
2 cuillerées à soupe de persil frais haché

1 Lavez les aubergines et coupez-les
en petits dés. Salez-les et laissez-les
dégorger dans une passoire pendant
1 heure.

2 ▲ Chauffez l'huile dans une grande
casserole et faites revenir l'oignon.
Ajoutez l'ail et les tomates et faites-
les cuire à feu moyen pendant une
dizaine de minutes. Ajoutez le
vinaigre, le sucre, le sel et le poivre.
Laissez mijoter 10 minutes. Faites
blanchir les branches de céleri.
Égouttez-les et coupez-les en
morceaux de 2 cm (1 po) environ.
Ajoutez les câpres et les olives.

3 ▲ Épongez les dés d'aubergines.
Chauffez l'huile et faites frire toutes les
aubergines au fur et à mesure jusqu'à
ce qu'elles soient bien dorées.
Égouttez-les.

4 Ajoutez les aubergines à la sauce.
Remuez doucement et assaisonnez.
Ajoutez enfin le persil. Laissez reposer
30 minutes et servez à température
ambiante.

CAROTTES AU MARSALA

Carote al marsala

La saveur sucrée du marsala s'accommode étonnamment bien avec celle des carottes dans ce délicieux plat sicilien.

POUR 4 PERSONNES

INGRÉDIENTS
50 g (2 oz) de beurre
450 g (1 lb) de carottes coupées
en fines rondelles
1 cuillerée à café de sucre
1/2 cuillerée à café de sel
50 ml (1/4 de tasse) de marsala

1 Faites fondre le beurre dans une casserole de taille moyenne et ajoutez les carottes. Mélangez pour bien les enrober de beurre. Ajoutez le sucre et le sel et remuez.

2 ▲ Versez le marsala et laissez mijoter 4 à 5 minutes.

3 ▲ Ajoutez suffisamment d'eau pour couvrir les carottes. Couvrez la casserole et faites cuire à feu doux jusqu'à ce que les carottes soient tendres. Retirez le couvercle et poursuivez la cuisson jusqu'à ce que le liquide soit complètement absorbé.

BROCOLIS À L'HUILE ET À L'AIL

Broccoletti saltati con aglio

Voici une façon très simple de transformer de simples brocolis blanchis en un succulent plat méditerranéen. Il est facile de peler les tiges de brocolis, et la cuisson est alors plus uniforme.

POUR 6 PERSONNES

INGRÉDIENTS
1 kg (2 lb) de brocolis frais
6 cuillerées à soupe d'huile d'olive
2 à 3 gousses d'ail finement hachées
Sel et poivre noir fraîchement moulu

1 ▲ Lavez les brocolis. Coupez la base de la tige si elle est coriace. Avec un couteau tranchant, pelez les tiges. Coupez les plus longues en deux.

2 ▲ Faites bouillir un peu d'eau dans le fond d'une casserole équipée pour la cuisson à la vapeur, ou portez une grande casserole d'eau à ébullition. Si vous optez pour la cuisson à la vapeur, faites cuire les brocolis 8 à 12 minutes, jusqu'à ce que les tiges soient tendres lorsqu'on les pique avec la pointe d'un couteau, puis retirez-les du feu. Si vous les faites blanchir, plongez-les dans l'eau bouillante pendant 5 à 6 minutes, puis égouttez-les.

3 ▲ Dans une poêle assez grande pour contenir tous les morceaux de brocolis, chauffez l'huile et l'ail à feu doux. Lorsque l'ail est doré (n'attendez pas qu'il brunisse, sinon il sera amer), ajoutez les brocolis et faites cuire pendant 3 à 4 minutes, en remuant délicatement pour bien les enrober d'huile chaude. Salez, poivrez et servez ce plat chaud ou froid.

FEUILLES DE CHOU FARCIES · *Involtini di verza ripieni di carne*

Voici une excellente façon d'accommoder vos restes de viande. Ces petits rouleaux sont assez nourrissants et conviennent parfaitement pour un déjeuner.

<u>POUR 4 à 5 PERSONNES</u>

INGRÉDIENTS
1 chou frisé de Milan
75 g (3 oz) de pain de mie
Lait pour faire tremper le pain
350 g (12 oz) de viande froide,
* très finement émincée, ou de bœuf*
* maigre frais haché*
1 œuf
2 cuillerées à soupe de persil frais haché
1 gousse d'ail finement hachée
50 g (2 oz) de parmesan frais râpé
1 pincée de muscade râpée
Sel et poivre noir fraîchement moulu
5 cuillerées à soupe d'huile d'olive
1 oignon de taille moyenne finement
* haché*
250 ml (1 tasse) de vin blanc sec

1 ▲ Coupez les feuilles du chou, et gardez le cœur pour faire une soupe. Faites blanchir les feuilles quatre par quatre pendant 4 à 5 minutes, dans une grande casserole d'eau bouillante. Passez-les ensuite sous l'eau froide. Étalez les feuilles sur un torchon propre pour les faire sécher.

VARIANTE

Vous pouvez également napper ces feuilles de chou farcies avec une sauce tomate.

2 ▲ Retirez la croûte du pain et jetez-la. Faites tremper le pain dans un peu de lait pendant 5 minutes, puis pressez-le pour éliminer l'excès de liquide.

3 ▲ Dans un saladier, mélangez la viande hachée avec l'œuf et le pain trempé. Ajoutez le persil, l'ail et le parmesan. Assaisonnez avec la muscade, le sel et le poivre.

4 ▲ Coupez les très grandes feuilles en deux et jetez la nervure centrale. Étalez les feuilles bien à plat. Formez

des petits boudins de farce et placez-les sur le bord de chacune des feuilles. Enroulez les feuilles en rentrant les extrémités à l'intérieur au fur et à mesure. Serrez chaque rouleau délicatement dans vos mains pour que les feuilles adhèrent bien.

5 ▲ Chauffez l'huile d'olive dans une cocotte en terre ou une sauteuse assez grande pour contenir tous les rouleaux sur une seule couche et faites revenir l'oignon à feu doux. Montez ensuite légèrement le feu et ajoutez les feuilles de chou farcies. Retournez-les délicatement avec une spatule en bois lorsqu'elles commencent à cuire.

6 ▲ Versez la moitié du vin. Faites cuire à feu doux jusqu'à ce qu'il se soit évaporé, puis ajoutez le reste de vin, couvrez et poursuivez la cuisson 10 à 15 minutes. Retirez le couvercle et laissez cuire jusqu'à ce que tout le liquide se soit évaporé. Retirez le plat du feu et laissez reposer 5 minutes environ avant de servir.

PURÉE DE FÈVES AU JAMBON CRU *Purea di fave con prosciutto*

Si vous pelez les fèves, elles n'en seront que plus douces et tendres. Dans cette recette toscane,
elles s'accommodent particulièrement bien avec le goût salé du jambon cru.

POUR 4 PERSONNES

INGRÉDIENTS
1 kg (2 lb) de fèves fraîches avec leurs
  cosses, ou 400 g (14 oz) de fèves
  écossées, décongelées si besoin est
1 oignon moyen finement haché
2 petites pommes de terre épluchées
  et coupées en dés
50 g (2 oz) de prosciutto ou d'un autre
  jambon cru
3 cuillerées à soupe d'huile d'olive
  vierge extra
Sel et poivre noir fraîchement moulu

1 Mettez les fèves écossées dans une
casserole et couvrez-les d'eau. Portez
à ébullition et faites cuire 5 minutes.
Égouttez-les. Lorsqu'elles ont
refroidi, pelez-les.

2 ▲ Mettez les fèves pelées dans une
casserole avec l'oignon et les pommes
de terre. Ajoutez suffisamment d'eau
pour couvrir les légumes, puis portez
à ébullition. Baissez légèrement le
feu, couvrez et laissez mijoter 15 à
20 minutes, jusqu'à ce que les
légumes soient tendres. Rajoutez
quelques cuillerées d'eau si besoin est.

3 Coupez le jambon en très petits dés.
Chauffez l'huile et faites sauter le
jambon jusqu'à ce qu'il soit à peine
doré.

4 ▲ Écrasez les légumes. Si cette purée
est trop liquide, faites-la cuire à feu
doux pour qu'elle réduise légèrement.
Ajoutez l'huile et le jambon. Salez,
poivrez et faites cuire encore 2 minutes.

BEIGNETS DE CHOU-FLEUR *Cavolfiore fritto*

Les beignets sont très populaires en Italie, où tout se mange frit, depuis les fruits jusqu'au fromage.
Ce chou-fleur peut être servi en légume d'accompagnement ou bien en entrée.

POUR 4 PERSONNES

INGRÉDIENTS
1 gros chou-fleur
1 œuf
Sel et poivre noir fraîchement moulu
100 g (3 1/2 oz) de farine
175 ml (3/4 de tasse) de vin blanc sec
Huile de friture

1 Faites tremper le chou-fleur dans un
saladier d'eau salée. Dans un autre
récipient, battez l'œuf, salez, poivrez et
ajoutez la farine. Mouillez ce mélange
très épais avec le vin. Couvrez et laissez
reposer 30 minutes.

2 Faites cuire le chou-fleur à la
vapeur ou faites-le blanchir. Veillez à
ne pas trop le faire cuire. Une fois
refroidi, coupez-le en petits bouquets.

3 ▲ Chauffez l'huile jusqu'à ce
qu'un petit morceau de pain grésille
dès qu'on l'y jette. Trempez chaque
morceau de chou-fleur dans la pâte
avant de le faire frire. Retirez-le de
l'huile avec une spatule ajourée
lorsqu'il est bien doré.

4 ▲ Égouttez les beignets sur une
feuille de papier absorbant. Salez et
servez très chaud.

FENOUIL BRAISÉ AU PARMESAN

Finocchio gratinato

. . . .

On mange beaucoup de fenouil en Italie, aussi bien cru que cuit. Dans ce plat d'une grande simplicité,
il se marie très bien avec le goût fort du parmesan.

POUR 4 À 6 PERSONNES

INGRÉDIENTS
1 kg (2 lb) de bulbes de fenouil lavés
*   et coupés en deux*
50 g (2 oz) de beurre
40 g 1 ¹/2 oz) de parmesan frais râpé

2 ▲ Coupez les bulbes de fenouil en
quatre ou six morceaux dans le sens
de la longueur, puis mettez-les dans
un plat à four beurré.

3 ▲ Parsemez de copeaux de beurre,
puis saupoudrez le tout de parmesan
râpé. Faites cuire à four chaud
pendant une vingtaine de minutes,
jusqu'à ce que le fromage soit bien
doré. Servez immédiatement.

1 ▲ Faites cuire le fenouil dans une
grande casserole d'eau bouillante,
jusqu'à ce qu'il soit tendre mais ne
s'écrase pas. Égouttez-le. Préchauffez
le four à 200 °C (400°F).

VARIANTE

Pour obtenir un plat plus consistant,
parsemez le fenouil de 75 g (3 oz) de
jambon haché avant de le saupoudrer
de fromage râpé.

CHAPEAUX DE CHAMPIGNONS FARCIS

Funghi arrosti

. . . .

Si les Italiens adorent cueillir des champignons dans les bois, le plus prisé reste bien sûr le cèpe.

POUR 4 PERSONNES

INGRÉDIENTS
4 gros chapeaux de champignons, cèpes
*   ou autres*
2 gousses d'ail hachées
3 cuillerées à soupe de persil frais haché
Sel et poivre noir fraîchement moulu
Huile d'olive vierge extra

1 Préchauffez le four à 190 °C (375°F).
Essuyez soigneusement les
champignons avec un torchon humide
ou un morceau de papier absorbant.
Coupez les pieds (gardez-les pour la
soupe s'ils sont assez tendres). Huilez un
plat à four assez grand pour contenir
tous les chapeaux sur une seule couche.

2 ▲ Disposez les champignons dans
le plat (la base du chapeau vers le
fond). Mélangez l'ail et le persil
hachés et parsemez-en les chapeaux
de champignon.

3 ▲ Salez, poivrez et arrosez d'un
filet d'huile d'olive. Enfournez 20
à 25 minutes et servez
immédiatement.

COURGETTES AUX TOMATES   *Zucchine con pomodori*

Pour conserver les tomates pour l'hiver, faites-les sécher au soleil comme cela se pratique dans tout le Sud de l'Italie. Ces tomates ont alors un goût sucré très concentré qui va très bien avec les courgettes.

POUR 6 PERSONNES

INGRÉDIENTS

10 tomates séchées, au soleil ou non, ou
*   marinées dans l'huile et égouttées*
175 ml (³/4 de tasse) d'eau chaude
5 cuillerées à soupe d'huile d'olive
1 gros oignon finement émincé
2 gousses d'ail finement hachées
1 kg (2 lb) de courgettes coupées
*   en lamelles*
Sel et poivre noir fraîchement moulu

3 ▲ Ajoutez l'ail et les courgettes. Faites cuire 5 minutes environ tout en remuant.

4 ▲ Ajoutez les tomates et le liquide dans lequel elles ont trempé. Salez et poivrez. Montez le feu légèrement et poursuivez la cuisson jusqu'à ce que les courgettes soient tendres. Servez froid ou chaud.

1 ▲ Coupez les tomates en fines lamelles, puis faites-les tremper dans l'eau chaude pendant 20 minutes.

2 ▲ Dans une grande poêle ou casserole, chauffez l'huile et faites revenir l'oignon à feu doux jusqu'à ce qu'il ramollisse mais sans roussir.

OIGNONS FARCIS

Cipolle ripiene

Ces savoureux oignons conviennent parfaitement pour un déjeuner léger. Vous pouvez également farcir des oignons plus petits et les servir en accompagnement d'une viande.

POUR 6 PERSONNES

INGRÉDIENTS
6 gros oignons
1 œuf
75 g (3 oz) de jambon coupé en dés
50 g (2 oz) de chapelure
3 cuillerées à soupe de persil frais haché
1 gousse d'ail finement hachée
1 pincée de muscade râpée
75 g (3 oz) de fromage râpé (parmesan ou cheddar par exemple)
6 cuillerées à soupe d'huile d'olive
Sel et poivre noir fraîchement moulu

1 Pelez les oignons sans couper la base. Faites-les cuire dans une grande casserole d'eau bouillante pendant une vingtaine de minutes. Égouttez-les et refroidissez-les à l'eau froide.

2 ▲ Avec un petit couteau pointu, évidez-les en retirant la moitié de l'intérieur environ (gardez cela pour la soupe). Salez légèrement les cavités vidées et laissez dégorger les oignons la tête en bas.

VARIANTE

Si vous souhaitez préparer un plat végétarien, remplacez le jambon par des olives.

3 ▲ Préchauffez le four à 200 °C (400°F). Dans un bol, battez l'œuf avec le jambon. Ajoutez la chapelure, le persil, l'ail, la muscade et presque tout le fromage (gardez-en 3 cuillerées à soupe). Ajoutez enfin 3 cuillerées d'huile d'olive, salez et poivrez.

4 Essuyez l'intérieur des oignons avec une feuille de papier absorbant. Farcissez-les du mélange au jambon avec une petite cuillère, et disposez-les dans un plat à four huilé.

5 ▲ Saupoudrez les oignons avec le fromage restant et arrosez-les d'un filet d'huile. Faites cuire au four pendant 45 minutes environ.

Fricassée de champignons
Funghi trifolati

Ce plat piémontais mélange champignons des bois et champignons de couche, ce qui lui donne
sa saveur équilibrée.

Pour 6 Personnes

INGRÉDIENTS

750 g (1 1/2 lb) de champignons frais,
    de couche et des bois
6 cuillerées à soupe d'huile d'olive
2 gousses d'ail finement hachées
Sel et poivre noir fraîchement moulu
3 cuillerées à soupe de persil frais haché

2 ▲ Coupez les bouts terreux des
pieds et jetez-les. Coupez les pieds et
les chapeaux en tranches assez épaisses.

3 ▲ Chauffez l'huile dans une grande
poêle. Jetez-y l'ail, puis, 1 minute
plus tard, les champignons. Faites
cuire 8 à 10 minutes, en remuant de
temps en temps. Salez, poivrez et
ajoutez le persil. Faites cuire encore
5 minutes et servez immédiatement.

1 ▲ Nettoyez soigneusement les
champignons en les essuyant avec
un torchon humide ou une feuille
de papier absorbant.

Petits pois sautés au jambon
Piselli alla fiorentina

Lorsque c'est la saison des petits pois frais, préparez-les avec un peu d'oignon et de jambon
et vous aurez un délicieux accompagnement.

Pour 4 Personnes

INGRÉDIENTS

3 cuillerées à soupe d'huile d'olive
115 g (4 oz) de pancetta ou de
    jambon, coupés en tout petits dés
3 cuillerées à soupe d'oignon haché
1 kg (2 lb) de petits pois frais ou
    275 g (10 oz) de petits pois
    surgelés, décongelés
2 à 3 cuillerées à soupe d'eau
Sel et poivre noir fraîchement moulu
Quelques feuilles de menthe ou brins
    de persil frais

1 Chauffez l'huile dans une casserole
moyenne, et faites sauter la pancetta
ou le jambon avec l'oignon pendant
2 à 3 minutes.

2 ▲ Ajoutez les pois écossés et l'eau.
Salez et poivrez. Mélangez pour bien
enrober les pois d'huile.

3 ▲ Ajoutez les aromates, couvrez
et faites cuire à feu moyen jusqu'à ce
qu'ils soient bien tendres (5 minutes
environ pour des pois frais, jusqu'à
15 minutes pour les autres). Servez
en accompagnement d'un plat de
viande ou d'une omelette.

POIVRONS FARCIS

Peperoni ripieni

*Les poivrons doux peuvent être farcis de multiples façons, avec des restes de légumes cuits, de riz
ou de pâtes. Si vous faites blanchir les poivrons au préalable, ils n'en seront que plus tendres.*

POUR 6 PERSONNES

INGRÉDIENTS

6 poivrons moyens ou gros
200 g (7 oz) de riz
4 cuillerées à soupe d'huile d'olive
1 gros oignon finement haché
2 gousses d'ail finement hachées
3 filets d'anchois émincés
3 tomates pelées et coupées en petits dés
4 cuillerées à soupe de vin blanc
3 cuillerées à soupe de persil frais
    finement haché
100 g (4 oz) de mozzarelle coupée en
    petits dés
6 cuillerées à soupe de parmesan frais
    râpé
Sel et poivre noir fraîchement moulu
Sauce tomate classique, pour servir
    (facultatif)

2 ▲ Faites bouillir le riz conformément
aux instructions portées sur l'emballage
mais égouttez-le et rincez-le à l'eau
froide 3 minutes avant que le temps de
cuisson recommandé soit écoulé.
Égouttez-le bien de nouveau.

3 ▲ Dans une grande poêle,
chauffez l'huile puis faites revenir
l'oignon. Lorsqu'il a ramolli, ajoutez
l'ail et les morceaux d'anchois et
écrasez-les. Ajoutez les tomates et le
vin et laissez cuire 5 minutes.

1 ▲ Étêtez les poivrons et retirez
graines et parties fibreuses. Faites
blanchir les poivrons et leurs
chapeaux dans une grande casserole
d'eau bouillante pendant 3 à
4 minutes. Sortez-les de l'eau et
laissez-les égoutter en les plaçant sur
une grille la tête en bas.

LE CONSEIL DU CHEF

Choisissez des poivrons avec une base
plane et solide pour qu'ils tiennent
debout tout seuls. Cela facilitera
la cuisson et le service.

4 ▲ Préchauffez le four à 190 °C
(375°F). Retirez la sauce tomate du
feu. Ajoutez le riz, le persil, la
mozzarelle et 4 cuillerées à soupe de
parmesan. Salez et poivrez.

5 ▲ Essuyez l'intérieur des poivrons
avec une feuille de papier absorbant.
Salez, poivrez puis garnissez les
poivrons avec la farce. Saupoudrez-
les du reste de parmesan et arrosez-
les d'un filet d'huile d'olive.

6 ▲ Disposez les poivrons dans un
plat à four. Versez 1 cm (¹/2 po)
d'eau dans le plat et enfournez
pendant 25 minutes. Servez
immédiatement, avec de la sauce
tomate si vous le souhaitez. Vous
pouvez également servir ces poivrons
à température ambiante.

POIVRONS À L'ÉTOUFFÉE

Peperonata

Cette recette originaire du Sud de l'Italie s'est aujourd'hui largement répandue. Elle fait une entrée délicieuse et accompagne parfaitement les plats les plus divers. Elle permet enfin de préparer de délicieuses omelettes ou « frittata ».

POUR 6 PERSONNES

INGRÉDIENTS
4 à 5 poivrons très mûrs, de préférence
*   jaunes ou rouges (750 g (1 1/2 lb)*
*   environ)*
4 cuillerées à soupe d'huile d'olive
2 oignons moyens finement émincés
3 gousses d'ail finement hachées
350 g (12 oz) de tomates pelées,
*   égrenées et hachées menu*
Sel et poivre noir fraîchement moulu
Quelques feuilles de basilic frais

1 Lavez les poivrons. Coupez-les en quartiers, retirez les queues et les graines, puis coupez-les en fines lamelles.

2  Dans une grande casserole, chauffez l'huile et faites sauter les oignons sans les faire roussir (aussi est-il conseillé de couvrir la casserole). Ajoutez les poivrons et faites-les cuire 5 à 8 minutes à feu moyen, en remuant fréquemment.

3  Ajoutez l'ail et les tomates, couvrez et faites cuire 25 minutes environ, en remuant de temps en temps. Les poivrons doivent être tendres, mais conserver leur forme. Salez, poivrez, ciselez le basilic et ajoutez-le aux poivrons. Servez chaud ou froid.

TRÉVISE ET COURGETTES GRILLÉES

Verdure ai ferri

En Italie, on mange souvent la trévise grillée, au four ou au barbecue. C'est un plat très facile à préparer.

POUR 4 PERSONNES

INGRÉDIENTS
2 à 3 têtes de trévise bien fermes,
*   longues ou rondes*
4 courgettes moyennes
6 cuillerées à soupe d'huile d'olive
Sel et poivre noir fraîchement moulu

1 Préchauffez le gril de votre four, ou préparez le barbecue. Coupez les trévises en deux dans le sens de la longueur.

2 Coupez les courgettes en diagonale en rondelles de 1 cm (1/2 po) d'épaisseur environ.

3 Lorsque le gril (ou le barbecue) est chaud, huilez les légumes avec un pinceau, salez et poivrez. Faites-les cuire 4 à 5 minutes par face. Servez-les seuls ou en accompagnement de viande ou de poisson grillé.

GRATIN DE POMMES DE TERRE ET DE TOMATES

Ce plat très simple originaire du Sud de l'Italie peut être préparé avec des tomates en conserve,
mais il est bien évidemment encore meilleur avec des tomates fraîches lorsque c'est la saison.

POUR 6 PERSONNES

INGRÉDIENTS

6 cuillerées à soupe d'huile d'olive
2 gros oignons rouges ou jaunes
  finement émincés
1 kg (2 lb) de pommes de terre,
  épluchées et coupées en tranches fines
450 g (1 lb) de tomates fraîches
  ou en boîte, coupées en tranches,
  avec leur jus
115 g (4 oz) de parmesan frais râpé
Sel et poivre noir fraîchement moulu
Quelques feuilles de basilic frais
50 ml (¼ de tasse) d'eau

1 Préchauffez le four à 180 °C
(350°F) et huilez généreusement un
grand plat à gratin.

2 ▲ Disposez une couche d'oignons
au fond du plat, puis une couche
de pommes de terre et de tomates.
Arrosez avec un peu d'huile d'olive,
et saupoudrez de parmesan. Salez et
poivrez.

par une couche de pommes de terre
et de tomates. Ciselez les feuilles de
basilic et dispersez-les dans les légumes.
Saupoudrez le tout de parmesan et
arrosez avec un filet d'huile.

5 ▲ Si le dessus commence à roussir,
couvrez le plat avec du papier
aluminium ou une plaque à
pâtisserie. Servez très chaud.

3 ▲ Répétez l'opération tant qu'il
vous reste des légumes, en terminant

4 ▲ Versez l'eau sur le gratin, et faites
cuire au four pendant 1 heure.

TOMATES FARCIES AUX PÂTES   *Pomodori ripieni di pasta*

Présentes dans plus des trois quarts des recettes italiennes, les tomates sont l'un des aliments de base de ce pays. Les tomates farcies cuites au four comptent parmi les multiples façons de les préparer. En voici une recette du Sud de l'Italie.

POUR 4 PERSONNES

INGRÉDIENTS

8 grosses tomates fermes mais bien mûres
115 g (4 oz) de ditalinis ou d'autres
    pâtes à potage
8 olives noires, dénoyautées et hachées
3 cuillerées à soupe d'herbes fraîches
    finement hachées mélangées
4 cuillerées à soupe de parmesan frais râpé
4 cuillerées à soupe d'huile d'olive
Sel et poivre noir fraîchement moulu

3 ▲ Préchauffez le four à 190 °C. (375°F) Mélangez les pâtes aux autres ingrédients dans un saladier. Ajoutez la pulpe de tomate égouttée, salez et poivrez.

4 ▲ Farcissez les tomates avec le mélange à base de pâtes et replacez les chapeaux. Disposez-les en une seule couche dans un plat à four bien huilé. Faites cuire au four pendant 15 à 20 minutes. Servez chaud.

1 ▲ Lavez les tomates. Étêtez-les et videz-les avec une petite cuillère. Hachez la pulpe et laissez les tomates s'égoutter en les plaçant à l'envers dans une passoire.

2 ▲ Mettez la pulpe dans une passoire et laissez-la s'égoutter. Pendant ce temps, faites cuire les pâtes dans une casserole d'eau bouillante salée. Égouttez-les 2 minutes avant que le temps de cuisson recommandé soit écoulé.

SALADE DE TOMATES ET DE PAIN   *Panzanella*

Cette salade est un plat paysan traditionnel de Toscane qui a été créé pour utiliser les restes de pain rassis.

POUR 4 PERSONNES

INGRÉDIENTS
400 g (14 oz) de pain rassis
4 grosses tomates
1 gros oignon rouge
Quelques feuilles de basilic frais, pour garnir
POUR L'ASSAISONNEMENT
4 cuillerées à soupe d'huile d'olive
*   vierge extra*
2 cuillerées à soupe de vinaigre de vin blanc
Sel et poivre noir fraîchement moulu

1 Coupez le pain en tranches épaisses, mettez-le dans une assiette creuse et faites-le tremper dans de l'eau froide pendant au moins 30 minutes.

2 ▲ Coupez les tomates en morceaux. Mettez-les dans un saladier, avec l'oignon finement émincé. Pressez le pain pour éliminer le plus d'eau possible, et ajoutez-le aux légumes.

3 ▲ Mélangez l'huile et le vinaigre, salez et poivrez. Versez la vinaigrette sur la salade et mélangez bien. Décorez la salade avec les feuilles de basilic et laissez-la reposer au moins 2 heures dans un endroit frais avant de servir.

SALADE DE POIVRONS GRILLÉS   *Insalata di peperoni*

Cette salade colorée est une recette du Sud de l'Italie. Tous les ingrédients sont en effet des produits du soleil qui s'épanouissent à merveille dans le Mezzogiorno, si chaud et si aride.

POUR 6 PERSONNES

INGRÉDIENTS
4 gros poivrons, rouges ou jaunes,
*   ou un mélange des deux*
2 cuillerées à soupe de câpres conservées
*   dans du sel, du vinaigre ou de la*
*   saumure, et rincées*
18 à 20 olives noires ou vertes
POUR L'ASSAISONNEMENT
6 cuillerées à soupe d'huile d'olive
2 gousses d'ail finement hachées
2 cuillerées à soupe de vinaigre
*   balsamique ou de vinaigre de vin*
Sel et poivre noir fraîchement moulu

1 Mettez les poivrons sous un gril très chaud et retournez-les de temps en temps jusqu'à ce qu'ils soient noirs et boursouflés de tous côtés. Sortez-les du four, mettez-les dans un sachet en papier et laissez-les 5 minutes.

2 ▲ Pelez les poivrons, puis coupez-les en quartiers. Retirez les queues et les graines.

3 Coupez les poivrons en lamelles et disposez-les dans un plat de service. Répartissez les câpres et les olives régulièrement sur les poivrons.

4 ▲ Pour la vinaigrette, mélangez l'huile et l'ail dans un bol, en écrasant l'ail avec une cuillère pour qu'il libère le plus de goût possible. Ajoutez le vinaigre, salez et poivrez. Versez la sauce sur les poivrons, mélangez bien et laissez reposer au moins 30 minutes avant de servir.

SALADE D'ARTICHAUTS AUX ŒUFS *Insalata di carciofi con uova*

Si les meilleurs fonds d'artichauts sont ceux des artichauts frais, vous pouvez cependant aussi utiliser des fonds d'artichauts surgelés. Voici une salade vite préparée qui fait un excellent plat unique pour le déjeuner.

POUR 4 PERSONNES

INGRÉDIENTS

4 gros artichauts, ou 4 fonds d'artichauts surgelés, décongelés
1/2 citron
4 œufs durs écalés
POUR LA MAYONNAISE
1 jaune d'œuf
2 cuillerées à café de moutarde de Dijon
1 cuillerée à soupe de vinaigre de vin blanc
Sel et poivre noir fraîchement moulu
250 ml (1 tasse) d'huile d'olive
Quelques brins de persil frais

3 ▲ Préparez la mayonnaise. Mélangez le jaune d'œuf avec la moutarde et le vinaigre. Salez et poivrez. Ajoutez l'huile en versant un filet continu tout en battant vigoureusement avec un fouet métallique. Lorsque le mélange est lisse et épais, ajoutez le persil. Mélangez bien et mettez au réfrigérateur.

4 ▲ Enlevez les feuilles des artichauts frais et recoupez la queue pour qu'elle ne dépasse pas de la base. Retirez le foin avec un couteau ou une cuillère.

5 Coupez les œufs et les fonds d'artichauts et disposez-les sur un plat de service. Nappez-les de mayonnaise.

1 ▲ Si vous utilisez des artichauts frais, lavez-les. Pressez le citron et mettez le jus et le fruit pressé dans un saladier d'eau froide. Préparez les artichauts un par un. Coupez uniquement l'extrémité de la queue, puis pelez-la avec un petit couteau en tirant vers le haut, en direction des feuilles. Enlevez les petites feuilles de la base et coupez le haut des feuilles extérieures foncées jusqu'à ce que vous atteigniez les grandes feuilles claires du cœur. Coupez l'extrémité des feuilles avec un couteau tranchant et mettez l'artichaut dans l'eau citronnée.

2 Faites cuire les artichauts frais à la vapeur ou faites-les blanchir jusqu'à ce qu'ils soient tendres. Préparez les fonds d'artichauts surgelés conformément aux instructions portées sur l'emballage. Laissez refroidir.

SALADE DE FENOUIL À L'ORANGE *Insalata di finocchio con arancio*

Au XVIIᵉ siècle, en Italie, le fenouil était souvent servi en fin de repas, saupoudré de sel. Cette salade très rafraîchissante est originaire de Sicile.

POUR 4 PERSONNES

INGRÉDIENTS
2 gros fenouils (700 g (1 ¹/2 lb)
environ)
2 oranges douces
2 oignons nouveaux, pour la garniture
POUR L'ASSAISONNEMENT
4 cuillerées à soupe d'huile d'olive
vierge extra
2 cuillerées à soupe de jus de citron frais
Sel et poivre noir fraîchement moulu

1 ▲ Lavez les fenouils et retirez les feuilles extérieures si elles sont brunes ou dures. Coupez les bulbes et les pousses en fines lamelles et mettez-les dans un plat de service.

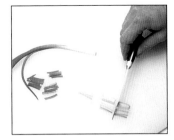

2 ▲ Pelez les oranges avec un couteau tranchant en retirant la peau blanche. Coupez-les en tranches fines, et recoupez chaque rondelle en trois. Disposez-les sur le fenouil et ajoutez le jus qui a pu s'écouler.

3 ▲ Préparez la vinaigrette en mélangeant l'huile et le jus de citron. Salez et poivrez, puis versez la sauce sur la salade. Mélangez bien.

4 ▲ Émincez finement le blanc et le vert des oignons, et répartissez-les sur la salade.

71

SALADE DE POMMES DE TERRE

Insalata di patate

On verse la sauce sur cette salade alors que les pommes de terre sont encore chaudes, de sorte qu'elles en absorbent complètement la saveur. Prenez donc la meilleure huile d'olive possible.

POUR 6 PERSONNES

INGRÉDIENTS
1 kg (2 lb) de pommes de terre bien fermes
POUR L'ASSAISONNEMENT
6 cuillerées à soupe d'huile d'olive vierge extra
Jus de 1 citron
1 gousse d'ail très finement hachée
2 cuillerées à soupe d'aromates frais hachés
Sel et poivre noir fraîchement moulu

1 Lavez les pommes de terre, mais ne les épluchez pas. Faites-les blanchir ou cuire à la vapeur jusqu'à ce qu'elles soient tendres. Pelez-les et coupez-les en dés.

2 ▲ Pendant que les pommes de terre cuisent, préparez l'assaisonnement en mélangeant tous les ingrédients.

3 ▲ Versez la sauce sur les pommes de terre quand elles sont encore chaudes. Mélangez bien. Servez froid ou à température ambiante.

SALADE DE POIS CHICHES

Ceci in insalata

Cette salade, vite prête si vous utilisez des pois chiches en boîte, fait un plat unique parfait pour un repas léger.

POUR 4 À 6 PERSONNES

INGRÉDIENTS
800 g (14 oz) de pois chiches en boîte ou 450 g (1 lb) de pois chiches frais cuits
6 oignons nouveaux hachés
2 tomates moyennes coupées en dés
1 petit oignon rouge finement haché
12 olives noires dénoyautées et coupées en deux
1 cuillerée à soupe de câpres égouttées
2 cuillerées à soupe de persil frais ou de menthe fraîche, finement haché
4 œufs durs coupés en quatre
POUR L'ASSAISONNEMENT
5 cuillerées à soupe d'huile d'olive
3 cuillerées à soupe de vinaigre de vin
Sel et poivre noir fraîchement moulu

1 Rincez les pois chiches à l'eau froide, égouttez-les et mettez-les dans un saladier.

2 ▲ Ajoutez les autres légumes, les olives et les câpres et mélangez le tout.

3 ▲ Préparez la vinaigrette en mélangeant les divers ingrédients dans un bol.

4 ▲ Ajoutez les aromates à la salade et mélangez bien. Versez dessus la sauce et mélangez de nouveau. Vérifiez l'assaisonnement. Laissez reposer au moins 1 heure et décorez juste avant de servir avec les quartiers d'œufs.

VARIANTE

Vous pouvez remplacer les pois chiches par des haricots secs en boîte.

HARICOTS BLANCS À LA TOSCANE *Fagioli al forno alla toscana*

Qu'ils soient secs ou frais, les haricots sont très appréciés en Toscane, où il existe de nombreuses façons de les cuisiner. Dans cette recette végétarienne, les haricots sont parfumés avec des feuilles de sauge fraîche.

POUR 6 À 8 PERSONNES

INGRÉDIENTS
600 g (1 lb) de haricots secs
4 cuillerées à soupe d'huile d'olive
2 gousses d'ail finement hachées
3 feuilles de sauge fraîche (si vous n'en trouvez pas, remplacez la sauge par 4 cuillerées à soupe de persil frais haché)
1 poireau finement émincé
400 g (14 oz) de tomates en boîte, concassées, avec leur jus
Sel et poivre noir fraîchement moulu

3 ▲ Dans une grande cocotte, mélangez les haricots avec le poireau et les tomates. Ajoutez l'huile avec l'ail et la sauge, puis versez assez d'eau pour recouvrir les haricots de 2 cm (1 po). Mélangez bien. Couvrez la cocotte avec son couvercle ou avec une feuille d'aluminium, et mettez-la au centre du four préchauffé. Faites cuire 1 h 45.

4 ▲ Retirez le plat du four, mélangez les haricots, salez et poivrez. Remettez la cocotte au four sans la couvrir, et poursuivez la cuisson pendant 15 minutes environ, jusqu'à ce que les haricots soient bien tendres. Sortez la cocotte du four et laissez reposer 7 à 8 minutes avant de servir. Servez chaud ou à température ambiante.

1 ▲ Mettez les haricots dans un grand saladier et couvrez-les d'eau. Faites-les tremper au moins 6 heures, voire toute une nuit, puis égouttez-les.

2 ▲ Préchauffez le four à 180 °C (350°F). Dans une petite casserole, chauffez l'huile et faites revenir l'ail et les feuilles de sauge pendant 3 à 4 minutes. Retirez du feu.

LENTILLES EN COCOTTE

Lenticchie in umido

En Italie, on sert souvent les lentilles pour accompagner du canard ou des saucisses type zampone ou cotechino. Néanmoins, elles sont aussi très bonnes servies seules.

POUR 6 PERSONNES

INGRÉDIENTS
*450 g (1 lb) de lentilles vertes
   ou brunes
50 g (2 oz) de pancetta ou de petit salé
1 oignon moyen très finement haché
1 branche de céleri émincée
1 carotte très finement hachée
Eau bouillante
1 gousse d'ail
1 feuille de laurier
3 cuillerées à soupe de persil frais haché
Sel et poivre noir fraîchement moulu*

1 Mettez les lentilles dans un grand saladier et couvrez-les d'eau. Faites-les tremper plusieurs heures et égouttez-les.

2 Dans une grande cocotte, chauffez l'huile. Ajoutez la pancetta ou le petit salé et faites sauter 3 à 4 minutes. Ajoutez l'oignon, et faites-le revenir à feu doux jusqu'à ce qu'il ramollisse.

3 Ajoutez le céleri et la carotte et poursuivez la cuisson pendant 3 à 4 minutes.

4 Ajoutez les lentilles, et remuez bien pour les enrober d'huile. Versez suffisamment d'eau bouillante pour couvrir les lentilles. Ajoutez la gousse d'ail entière, la feuille de laurier et le persil et mélangez de nouveau. Salez et poivrez. Faites cuire à feu moyen pendant 1 heure environ, jusqu'à ce que les lentilles soient tendres. Jetez l'ail et la feuille de laurier.

75

LES PÂTES

Les pâtes, qu'elles soient sèches, fraîches, aux œufs ou faites maison, ont toujours la faveur des repas en famille. Faciles à accommoder, il en existe en outre une multitude de variétés. Servies avec une bonne sauce à base de légumes, de poisson, de viande ou de fromage, les pâtes offrent des possibilités infinies tant pour les entrées que pour les plats de résistance.

COMMENT FAIRE DES PÂTES AUX ŒUFS À LA MAIN

Cette classique recette de pâtes aux œufs vient d'Émilie-Romagne. Trois ingrédients seulement sont nécessaires : de la farine, des œufs et un peu de sel. Dans d'autres régions d'Italie, on ajoute parfois de l'huile, de l'eau ou du lait. Prenez de la farine blanche, avec ou sans levure, et de gros œufs. En règle générale, les proportions sont de 70 g (2 1/2 oz) de farine pour un œuf, mais la quantité varie bien sûr en fonction de la taille exacte des œufs.

POUR 3 À 4 PERSONNES

2 œufs, sel
140 g (5 oz) de farine

POUR 4 À 6 PERSONNES

3 œufs, sel
210 g (7 1/2 oz) de farine

POUR 6 À 8 PERSONNES

4 œufs, sel
280 g (10 oz) de farine

1 ▲ Mettez la farine au centre d'un plan de travail lisse et propre. Creusez un puits, et cassez-y les œufs. Ajoutez une pincée de sel.

2 Commencez à battre les œufs à la fourchette, en incorporant graduellement la farine des parois du puits. Lorsque la pâte a un peu épaissi, poursuivez le mélange à la main. Incorporez autant de farine que possible jusqu'à obtention d'une masse encore grumeleuse. Si elle colle encore aux doigts, ajoutez un peu de farine. Réservez la pâte. Retirez toute trace de pâte du plan de travail. Lavez-vous et séchez-vous les mains.

À PROPOS DES PÂTES

La plupart des pâtes sont faites à partir de farine de blé dur et d'eau. Le blé dur est une variété à très forte teneur en protéines. La pâte aux œufs (*pasta all'uova*), à base de farine et d'œufs, est utilisée pour les nouilles plates, telles que les tagliatelles ou les lasagnes. Si on mange très peu de pâtes au blé complet en Italie, elles sont assez populaires dans d'autres pays.

Toutes ces variétés de pâtes sont vendues sèches en paquets, et se conservent ainsi très longtemps. Aujourd'hui, les pâtes fraîches sont plus répandues et on en trouve dans la plupart des supermarchés. Aussi bonnes soient-elles, elles ne seront jamais à la hauteur des pâtes aux œufs faites maison.

Comme chacun sait, il existe une infinie variété de formes et de tailles de pâtes. Il est presque impossible de faire une liste exhaustive, d'autant que les noms des différents modèles varient d'un pays à l'autre. En Italie, certaines pâtes sont même vendues sous plusieurs noms différents, suivant la région où l'on se trouve. Les noms que nous utiliserons dans ce livre sont ceux que nous vous avons présentés avec des illustrations dans l'introduction.

La plupart des recettes que nous proposons ici précisent quelle est la forme de pâte la plus appropriée pour une certaine sauce. Vous pouvez bien sûr utiliser une autre variété. Voici néanmoins la règle générale : les pâtes longues vont bien avec la sauce tomate ou une autre sauce fluide, tandis que les pâtes courtes sont mieux adaptées pour les sauces plus épaisses. Mais il n'est pas indispensable de suivre cette règle à la lettre, car le plaisir de préparer et de manger des pâtes tient aussi dans les innombrables associations possibles entre sauces et formes de pâtes.

en l'étirant latéralement à la main, jusqu'à ce qu'elle soit fine comme une feuille de papier. Pour ce faire, placez un bord du disque de pâte au centre du rouleau et enroulez-le en commençant par pousser le rouleau vers l'extérieur. Tandis que vous roulez vers l'avant puis vers l'arrière, faites glisser vos mains du centre vers les extrémités du rouleau.

Faites pivoter la pâte toutes les 10 minutes. Aplatissez le deuxième disque de pâte si vous avez utilisé plus de 2 œufs. Au bout de 25 à 30 minutes, la pâte est suffisamment sèche pour qu'on puisse la couper. Ne la faites pas trop sécher.

3 ▲ Farinez légèrement le plan de travail. Pétrissez la pâte en appuyant vers l'extérieur de la paume de la main, puis en la repliant vers vous. Répétez l'opération plusieurs fois, en tournant la pâte au fur et à mesure que vous la pétrissez. Travaillez-la une dizaine de minutes, jusqu'à ce qu'elle soit bien lisse et élastique.

6 ▲ Répétez ces gestes rapidement jusqu'à ce que les deux tiers du disque de pâte environ soient enroulés sur le rouleau. Soulevez le tout et faites pivoter la pâte de 45° avant de la dérouler. Recommencez l'opération en partant d'un nouveau point de la plaque de pâte pour obtenir une épaisseur homogène. Une fois cette opération terminée (elle ne doit pas durer plus de 8 à 10 minutes en tout, car sinon la pâte perdrait de son élasticité), la pâte doit être lisse et presque transparente. Si la pâte colle encore, farinez-vous légèrement les mains et continuez à l'étirer.

8 ▲ Repliez la feuille de pâte de façon à obtenir un rouleau plat de 10 cm de large environ. Coupez transversalement de façon à obtenir des pâtes de la largeur désirée. Les taglionis font 3 mm, (1/8 po) les fettuccines 4 mm (1/6 po) et les tagliatelles 6 mm (1/4 po). Après les avoir coupées, déroulez les nouilles et laissez-les sécher environ 5 minutes avant de les faire cuire. Vous pouvez conserver ces pâtes quelques semaines sans les mettre au réfrigérateur. Laissez sécher les nouilles complètement avant de les ranger sans les couvrir dans un placard sec.

4 ▲ Si vous utilisez plus de 2 œufs, divisez la pâte en deux. Farinez votre rouleau à pâtisserie et le plan de travail. Aplatissez la pâte à la main, puis continuez au rouleau, en la faisant pivoter pour obtenir une forme circulaire. Poursuivez jusqu'à obtention d'un disque de 3 mm (1/8 po) d'épaisseur.

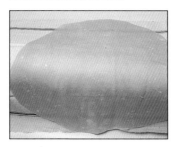

7 ▲ Si vous confectionnez des nouilles (tagliatelles, fettuccines, etc.), posez un torchon propre sur la table ou toute autre surface plane, et déroulez la pâte dessus, en en laissant retomber environ un tiers par-dessus le bord de la table.

9 ▲ Pour couper la pâte afin de faire des lasagnes ou des pappardelles, ne la pliez pas et ne la laissez pas sécher. Pour les lasagnes, découpez des rectangles de 13 × 9 cm (5 × 3 1/2 po) environ. Les pappardelles sont, quant à elles, de grosses nouilles de 2 cm (3/4 po) de largeur environ, coupées avec une roulette à pâtisserie à cannelures.

5 ▲ Continuez à étirer la pâte en l'enroulant autour du rouleau tout

LES PÂTES AUX ŒUFS FAITES À LA MACHINE

Faire des pâtes avec une machine est un jeu d'enfants. Le résultat n'est peut-être pas aussi fin que lorsque l'on fait les pâtes à la main, mais reste sans comparaison avec les pâtes achetées dans le commerce.

Si l'envie vous prend, procurez-vous donc une machine à pâtes, manuelle ou électrique, et utilisez les mêmes proportions d'œufs, de farine et de sel que pour les pâtes faites à la main.

1 ▲ Mettez la farine au centre d'un plan de travail lisse et propre et creusez un puits au centre. Cassez-y les œufs, ajoutez une pincée de sel et commencez à battre les œufs à la fourchette, en incorporant petit à petit la farine des parois du puits. Lorsque la pâte est assez épaisse, continuez d'incorporer la farine à la main, jusqu'à obtention d'une masse encore grumeleuse. Si elle colle encore aux doigts, ajoutez un peu de farine. Réservez la pâte et nettoyez le plan de travail.

2 ▲ Écartez les rouleaux de la machine au maximum. Prenez une boule de pâte de la taille d'une petite orange

et mettez le reste de pâte entre deux assiettes creuses. Faites passer la pâte entre les rouleaux. Repliez-la ensuite en deux et repassez-la 7 à 8 fois dans la machine, en la retournant et en la repliant après chaque passage. La pâte doit être lisse et former un rectangle assez régulier. Si elle colle à la machine, farinez-la. Étalez-la sur un plan de travail légèrement fariné, ou sur un torchon propre, et répétez l'opération avec le reste de pâte, réparti en boules de la même taille.

3 Resserrez les rouleaux de la machine en passant au cran suivant et faites-y passer chaque rectangle de pâte une fois. Reposez-les ensuite sur leur surface de séchage, en respectant l'ordre dans lequel ils ont été pétris.

4 ▲ Resserrez de nouveau les rouleaux de la machine d'un cran, et faites-y passer chaque rectangle de pâte une fois. Renouvelez l'opération jusqu'à obtention de l'épaisseur désirée (c'est généralement celle que donne l'avant-dernier cran de la machine, à part pour les pâtes très fines comme les raviolis ou les tagliolinis). Si les bandes de pâte sont trop longues, coupez-les en deux pour en faciliter la manipulation.

5 ▲ Lorsque toutes les bandes ont l'épaisseur désirée, vous pouvez les découper en nouilles à la machine, ou bien à la main (notamment pour les lasagnes ou les pappardelles. Dans ce cas, procédez comme expliqué page précédente). Lorsque vous découpez les nouilles, assurez-vous que la pâte est assez sèche (mais pas cassante), afin qu'elles ne collent pas les unes aux autres. Sélectionnez la largeur de pâtes désirée et faites passer les bandes dans la machine.

6 Séparez les nouilles et laissez-les sécher 15 minutes avant de les faire cuire. Vous pouvez les conserver plusieurs semaines sans les réfrigérer. Laissez-les alors sécher complètement avant de les ranger sans les couvrir dans un placard sec. Vous pouvez également les congeler, en les disposant à plat sans les empiler (vous pouvez ensuite les regrouper en sachets).

7 Si vous préparez des pâtes farcies (raviolis, cannellonis, etc.), ne laissez pas sécher les bandes de pâte, mais farcissez-les immédiatement.

PÂTES VERTES

Utilisez la même recette, en ajoutant 50 g (2 oz) d'épinards cuits (et très bien égouttés) très finement hachés aux œufs et à la farine. Vous aurez peut-être besoin d'ajouter un peu de farine pour absorber l'eau des épinards. Cette pâte est parfaite pour les variétés farcies, car elle colle mieux que la pâte nature, ce qui facilite la confection de rouleaux ou raviolis.

COMMENT FAIRE CUIRE LES PÂTES SÈCHES

Si on fait cuire de la même façon les pâtes achetées dans le commerce et celles que l'on fait à la maison, le temps de cuisson varient considérablement. En effet, les pâtes maison sont cuites dès que l'eau de cuisson bout de nouveau lorsqu'on a ajouté les pâtes.

1 Faites toujours cuire les pâtes dans un grand volume d'eau qui bout à gros bouillons. Comptez au moins 1 l (5 tasses) d'eau pour 115 g (4 oz) de pâtes.

2  Salez l'eau au moins 2 minutes avant d'ajouter les pâtes, pour que le sel ait eu le temps de se dissoudre. Mettez environ 1 1/2 cuillerée à soupe de sel pour 450 g (1 lb) de pâtes, mais vous pouvez aussi varier le goût salé de votre eau de cuisson.

3  Jetez les pâtes dans l'eau bouillante toutes en même temps. Avec une cuillère en bois, aidez les variétés longues à rentrer dans l'eau au fur et à mesure qu'elles ramollissent, en essayant de ne pas les casser. Mélangez souvent pour que les pâtes ne collent pas à la casserole. Faites-les cuire à gros bouillons, mais soyez prêt à baisser le feu si l'eau verse.

4 Le temps de cuisson est crucial. Suivez les indications portées sur l'emballage des pâtes achetées dans le commerce, mais l'idéal est de goûter pour savoir si elles sont cuites, et ce à plusieurs reprises si nécessaire. En Italie, on mange toujours les pâtes al dente, c'est-à-dire fermes. Ainsi, elles sont tendres mais n'ont pas perdu leur « âme » (leur cœur). Des pâtes trop cuites font de la bouillie.

5  Mettez une passoire dans l'évier avant que les pâtes soient cuites. Ainsi, dès qu'elles sont prêtes, vous renversez la casserole dans la passoire (vous pouvez conserver un verre d'eau de cuisson pour fluidifier la sauce si besoin est). Secouez légèrement la passoire pour éliminer la plus grande partie de l'eau de cuisson, mais pas la totalité. Les pâtes ne doivent jamais être trop égouttées.

6  Versez rapidement les pâtes dans un plat de service et mélangez-les immédiatement avec un peu de beurre ou d'huile, ou la sauce que vous avez prévue. Vous pouvez aussi les verser dans la cocotte où se trouve la sauce et prolongez la cuisson 1 à 2 minutes tout en mélangeant bien. Ne laissez jamais reposer les pâtes sans les agrémenter car elles colleraient et deviendraient immangeables.

COMMENT FAIRE CUIRE LES PÂTES AUX ŒUFS

Les pâtes fraîches aux œufs, et notamment les pâtes faites maison, cuisent beaucoup plus vite que les autres. Veillez à ce que tout soit prêt (la sauce, les plats de service, etc.) avant de jeter les pâtes dans l'eau bouillante, car les pâtes fraîches sont vite molles et s'écrasent rapidement.

1 Faites toujours cuire les pâtes dans un grand volume d'eau bouillante. Comptez au moins 1 l (5 tasses) d'eau pour une quantité de pâte faite avec 115 g (4 oz) de farine. Salez l'eau comme pour les pâtes sèches.

2  Jetez les pâtes dans l'eau bouillante et remuez doucement pour éviter qu'elles collent les unes aux autres ou au fond de la casserole. Faites-les cuire à gros bouillons.

3  Les pâtes fraîches peuvent être prêtes 15 secondes après que l'eau s'est remise à bouillir. Pour les pâtes farcies, comptez quelques minutes de plus. Une fois cuites, versez les pâtes dans une passoire et procédez comme avec les pâtes sèches.

SAUCE TOMATE NAPOLITAINE *Sugo di pomodoro alla napolitana*

La sauce tomate est sans aucun doute la façon la plus courante d'accommoder les pâtes en Italie. La sauce que nous vous proposons ici est à base de tomates fraîches, mais vous pouvez aussi utiliser des tomates en boîte.

POUR 4 PERSONNES

INGRÉDIENTS
4 cuillerées à soupe d'huile d'olive
1 oignon moyen très finement haché
1 gousse d'ail finement hachée
450 g (1 lb) de tomates, fraîches
 ou en boîte
Sel et poivre noir fraîchement moulu
Quelques feuilles de basilic frais ou
 quelques brins de persil

1 Chauffez l'huile dans une casserole de taille moyenne. Ajoutez l'oignon et faites-le cuire 5 à 8 minutes à feu moyen, jusqu'à ce qu'il soit translucide.

2 ▲ Ajoutez l'ail et les tomates avec leur jus (ajoutez 3 cuillerées à soupe d'eau si vous utilisez des tomates fraîches). Salez, poivrez et ajoutez les aromates. Faites cuire 20 à 30 minutes.

3 ▲ Passez la sauce au presse-purée ou au mixer. Pour servir, réchauffez-la doucement, vérifiez l'assaisonnement et versez sur les pâtes égouttées.

SAUCE TOMATE SPÉCIALE *Sugo di pomodoro*

Dans cette version, le goût des tomates est relevé par celui d'autres légumes. Elle convient à tous les types de pâtes, mais peut aussi accompagner des légumes farcis.

POUR 4 PERSONNES

INGRÉDIENTS
700 g (1 2/3 lb) de tomates, fraîches
 ou en boîte, concassées
1 carotte hachée
1 branche de céleri hachée
1 oignon moyen haché
1 gousse d'ail finement hachée
5 cuillerées à soupe d'huile d'olive
Sel et poivre noir fraîchement moulu
Quelques feuilles de basilic frais ou une
 petite pincée d'origan séché

1 Mettez tous les ingrédients dans une cocotte à fond épais et faites mijoter 30 minutes.

2 ▲ Réduisez la sauce en purée au mixer, ou passez-la au tamis.

3 ▲ Versez la sauce dans la cocotte, vérifiez l'assaisonnement et laissez mijoter de nouveau 15 minutes.

LE CONSEIL DU CHEF

Vous pouvez répartir cette sauce dans de petits sachets en plastique et la congeler. Laissez-la alors décongeler à température ambiante avant de la faire réchauffer.

LINGUINES AU BASILIC

Linguine con pesto

. . . .

La sauce « pesto » est originaire de Ligurie, une région où les brises marines ont la réputation de donner au basilic un goût particulièrement fin. On la prépare traditionnellement avec un mortier et un pilon, mais un robot ménager ou un simple mixer facilite bien la tâche. Vous pouvez congeler vos restes de pesto dans un bac à glaçons.

POUR 5 À 6 PERSONNES

INGRÉDIENTS
65 g (2 ¹/2 oz) de feuilles
* de basilic frais*
3 à 4 gousses d'ail pelées
3 cuillerées à soupe de pignons de pin
¹/2 cuillerée à café de sel
5 cuillerées à soupe d'huile d'olive
50 g (2 oz) de parmesan frais râpé
4 cuillerées à soupe de pecorino frais râpé
Poivre noir fraîchement moulu
500 g (1 ¹/4 lb)de linguines

1 ▲ Mettez le basilic, l'ail, les pignons, le sel et l'huile d'olive dans un robot et mixez jusqu'à obtention d'une pâte lisse. Versez-la dans un saladier (vous pouvez si vous le souhaitez congeler la sauce à ce stade, avant d'ajouter le fromage).

2 ▲ Ajoutez les fromages râpés (si vous ne trouvez pas de pecorino, remplacez-le par du parmesan).

3 ▲ Faites cuire les pâtes al dente dans une grande casserole d'eau bouillante salée. Juste avant de les égoutter, prélevez 4 cuillerées à soupe d'eau de cuisson et mélangez-les à la sauce.

4 ▲ Égouttez les pâtes et mélangez-les avec la sauce. Servez immédiatement.

SAUCE BOLOGNAISE

Ragù alla bolognese

Comme son nom l'indique, cette délicieuse sauce à la viande est originaire de Bologne. Idéale avec des tagliatelles ou des pâtes courtes comme les pennes ou les conchiglionis rigatis, mais aussi avec les spaghettis, elle est indispensable pour la préparation des lasagnes. Elle se conserve facilement quelques jours au réfrigérateur, mais vous pouvez également la congeler.

POUR 6 PERSONNES

INGRÉDIENTS
4 cuillerées à soupe d'huile d'olive
2 cuillerées à soupe de beurre
1 oignon moyen finement haché
25 g (1 oz) de pancetta ou de petit salé non fumé, coupés en petits morceaux
1 carotte finement émincée
1 branche de céleri finement émincée
1 gousse d'ail finement hachée
350 g (12 oz) de bœuf maigre haché
Sel et poivre noir fraîchement moulu
150 ml (2/3 de tasse) de vin rouge
125 ml (1/2 tasse) de lait
400 g (14 oz) de tomates en boîte, concassées, avec leur jus
1 feuille de laurier
1/4 de cuillerée à café de feuilles de thym frais

3 ▲ Versez le vin, montez légèrement le feu et faites cuire 3 à 4 minutes, jusqu'à ce que le liquide s'évapore. Ajoutez le lait et faites cuire jusqu'à ce qu'il s'évapore à son tour.

4 ▲ Ajoutez les tomates avec leur jus et les aromates. Portez à ébullition, puis baissez le feu et laissez mijoter à feu doux pendant 1 h 30 à 2 heures, en remuant de temps en temps. Rectifiez l'assaisonnement avant de servir.

1 ▲ Chauffez l'huile et le beurre dans une casserole ou une cocotte en terre et faites cuire l'oignon à feu moyen 3 à 4 minutes. Ajoutez la pancetta, et poursuivez la cuisson jusqu'à ce que l'oignon soit translucide. Ajoutez la carotte, le céleri et l'ail, et laissez cuire 3 à 4 minutes de plus.

2 Ajoutez le bœuf haché et émiettez-le à la fourchette pour bien le mélanger aux légumes. Mélangez jusqu'à ce que la viande brunisse. Salez et poivrez.

SPAGHETTIS À L'HUILE ET À L'AIL   *Spaghetti con aglio e olio*

Voici l'une des recettes de pâtes les plus simples et les meilleures qui soient. Elle est populaire dans toute l'Italie. Choisissez bien sûr la meilleure huile possible.

POUR 4 PERSONNES

INGRÉDIENTS
400 g (14 oz) de spaghettis
6 cuillerées à soupe d'huile d'olive
vierge extra
3 gousses d'ail hachées
4 cuillerées à soupe de persil frais haché
Sel et poivre noir fraîchement moulu
Parmesan frais râpé, pour servir
(facultatif)

1 Jetez les spaghettis dans une grande casserole d'eau bouillante salée.

2 ▲ Dans une grande poêle, chauffez l'huile et faites légèrement dorer l'ail. Ne le laissez pas roussir car il serait amer. Ajoutez le persil, salez et poivrez. Retirez du feu jusqu'à ce que les pâtes soient cuites.

3 ▲ Égouttez les pâtes lorsqu'elles sont à peine al dente. Versez-les dans la poêle où se trouvent l'huile et l'ail, et faites cuire le tout 2 à 3 minutes, en remuant pour bien enrober les spaghettis de sauce.

SPAGHETTIS AUX NOIX   *Spaghetti con salsa di noci*

Comme le pesto, cette sauce est traditionnellement pilée au mortier, mais elle sera tout aussi bonne si vous utilisez un robot ménager. Elle est également délicieuse avec des tagliatelles et d'autres variétés de pâtes.

POUR 4 PERSONNES

INGRÉDIENTS
115 g (4 oz) de cerneaux de noix
3 cuillerées à soupe de miettes de pain
3 cuillerées à soupe d'huile d'olive ou
d'huile de noix
3 cuillerées à soupe de persil haché
1 à 2 gousses d'ail (facultatif)
50 g (2 oz) de beurre à température
ambiante
2 cuillerées à soupe de crème fraîche
Sel et poivre noir fraîchement moulu
400 g (14 oz) de spaghettis à la farine
complète
Parmesan frais râpé, pour servir

1 Jetez les cerneaux de noix dans une petite casserole d'eau bouillante et faites-les cuire 1 à 2 minutes. Égouttez-les, pelez-les et laissez-les sécher sur une feuille de papier absorbant. Hachez grossièrement un quart des noix environ et réservez-les.

2 ▲ Mettez les noix restantes, les miettes de pain, l'huile, le persil et l'ail (si vous en utilisez) dans un robot ménager et mixez. Versez la pâte obtenue dans un saladier et incorporez le beurre ramolli et la crème. Salez et poivrez.

3 ▲ Faites cuire les pâtes al dente dans une grande casserole d'eau bouillante salée. Égouttez-les et mélangez-les à la sauce. Saupoudrez avec les noix hachées que vous aviez réservées, et servez le parmesan à part.

FUSILLIS AUX POIVRONS

Fusilli con peperoni

Les poivrons sont un ingrédient caractéristique de l'Italie du Sud. Grillés et pelés, ils sont délicieusement fumés, et plus faciles à digérer.

POUR 4 PERSONNES

INGRÉDIENTS

*450 g (1 lb) de poivrons rouges
    et jaunes (2 gros environ)*
6 cuillerées à soupe d'huile d'olive
1 gros oignon rouge finement émincé
2 gousses d'ail hachées
*400 g (14 oz) de fusillis ou d'autres
    pâtes courtes*
Sel et poivre noir fraîchement moulu
3 cuillerées à soupe de persil frais haché
Parmesan frais râpé, pour servir

1 ▲ Disposez les poivrons sous le gril préchauffé de votre four et retournez-les de temps en temps, jusqu'à ce qu'ils soient noirs. Mettez-les dans un sac en papier et laissez-les 5 minutes.

2 ▲ Pelez les poivrons. Coupez-les en quartiers, retirez les queues et les graines, puis recoupez-les en fines lamelles. Portez une grande casserole d'eau à ébullition.

3 ▲ Chauffez l'huile dans une grande poêle et faites cuire l'oignon à feu moyen 5 à 8 minutes, jusqu'à ce qu'il soit translucide. Ajoutez l'ail et faites cuire 2 minutes de plus.

4 ▲ Salez l'eau bouillante, jetez-y les pâtes, et faites-les cuire al dente.

LE SAVIEZ-VOUS ?

Les poivrons ont été introduits en Europe par Christophe Colomb qui les avait découvert en Haïti. Les gros poivrons rouges, oranges et jaunes sont généralement plus doux que les verts et ont davantage de saveur.

5 ▲ Pendant ce temps, ajoutez les poivrons à l'oignon et mélangez doucement. Versez environ 3 cuillerées à soupe d'eau de cuisson des pâtes, salez et poivrez. Ajoutez le persil haché.

6 ▲ Égouttez les pâtes. Ajoutez-les aux légumes et faites cuire le tout à feu doux pendant 3 à 4 minutes, en remuant constamment pour bien mélanger les pâtes à la sauce. Servez en proposant du parmesan râpé.

ORECCHIETTES AUX BROCOLIS
Pasta e broccoli

La région des Pouilles, dans le Sud de l'Italie, est connue pour ses associations créatives de pâtes et de légumes. Faire cuire les pâtes dans l'eau de cuisson des brocolis souligne le goût des légumes.

POUR 6 PERSONNES

INGRÉDIENTS
800 g (1 3/4 lb) de brocolis
450 g (1 lb) d'orecchiettes ou de pennes
6 cuillerées à soupe d'huile d'olive
3 gousses d'ail finement hachées
6 filets d'anchois à l'huile
Sel et poivre noir fraîchement moulu

1 Pelez les tiges de brocolis en partant de la base et en tirant la peau vers les fleurs avec le couteau. Jetez les parties dures de la tige. Coupez les bouquets et les tiges en morceaux de 5 cm (2 po).

2 ▲ Portez une grande casserole d'eau à ébullition. Jetez-y les brocolis et faites-les blanchir 5 à 8 minutes. Retirez-les de l'eau et mettez-les dans un plat de service. Ne jetez pas l'eau de cuisson.

3 ▲ Salez l'eau de cuisson des brocolis et portez-la de nouveau à ébullition. Jetez-y les pâtes, mélangez bien et faites-les cuire al dente.

4 ▲ Pendant que les pâtes cuisent, chauffez l'huile dans une petite poêle. Ajoutez l'ail, puis, au bout de 2 à 3 minutes, les filets d'anchois. Écrasez-les à la fourchette de façon à obtenir une pâte et poursuivez la cuisson 3 à 4 minutes.

5 ▲ Avant d'égoutter les pâtes, versez une à deux louches d'eau de cuisson sur les brocolis. Ajoutez les pâtes égouttées et la pâte d'anchois chaude. Mélangez bien, salez et poivrez si besoin est. Servez immédiatement.

SPAGHETTIS CARBONARA

Spaghetti alla carbonara

*Pour ce grand classique, une question reste encore en suspens : faut-il oui ou non ajouter de la crème
à la sauce ? Les puristes sont contre.*

POUR 4 PERSONNES

INGRÉDIENTS

2 cuillerées à soupe d'huile d'olive
1 gousse d'ail finement hachée
150 g (5 oz) de petit salé coupé
*   en bâtonnets*
400 g (14 oz) de spaghettis
3 œufs à température ambiante
75 g (3 oz) de parmesan frais râpé
Sel et poivre noir fraîchement moulu

3 ▲ Pendant que les pâtes cuisent,
préchauffez un grand saladier et
cassez-y les œufs. Battez-les à la
fourchette avec le parmesan râpé,
salez et poivrez.

4 ▲ Dès que les pâtes sont cuites,
égouttez-les rapidement et
mélangez-les aux œufs. Versez dessus
le petit salé chaud et l'huile.
Mélangez bien. La chaleur des pâtes
et du petit salé fera cuire les œufs.
Servez immédiatement.

1 ▲ Portez une grande casserole d'eau
à ébullition. Pendant ce temps,
chauffez l'huile dans une poêle de
taille moyenne et faites sauter l'ail et le
petit salé jusqu'à ce que le gras fonde
et que le tout commence à dorer.
Retirez l'ail et jetez-le. Gardez le petit
salé et les matières grasses au chaud.

2 ▲ Salez l'eau, jetez-y les
spaghettis, et faites-les cuire al dente.

PÂTES COURTES AU CHOU-FLEUR *Pennoni rigati con cavolfiore*

Voici une recette inspirée du gratin de chou-fleur.

POUR 6 PERSONNES

INGRÉDIENTS
1 chou-fleur moyen
500 ml (2 tasses) de lait
1 feuille de laurier
50 g (2 oz) de beurre
50 g (2 oz) de farine
Sel et poivre noir fraîchement moulu
75 g (3 oz) de parmesan frais râpé
500 g 1 1/4 lb) de pennonis rigatis ou
  d'autres pâtes courtes

1 Portez une grande casserole d'eau
à ébullition. Lavez bien le chou et
détachez les fleurons. Faites-les
blanchir 8 à 10 minutes, jusqu'à ce
qu'ils soient juste tendres. Retirez-les
de l'eau avec une écumoire ou une
spatule ajourée. Coupez-les en
morceaux de la taille d'une bouchée
et réservez-les. Ne jetez pas l'eau de
cuisson.

2 ▲ Préparez une sauce béchamel :
chauffez doucement le lait dans une
petite casserole avec la feuille de
laurier. Faites fondre le beurre dans
une casserole. Ajoutez la farine et
mélangez bien avec un fouet. Faites
cuire 2 à 3 minutes.

3 Versez le lait chaud sur le mélange
beurre-farine d'un coup, et fouettez de
façon à obtenir une sauce bien lisse.

4 Portez la sauce à ébullition et
faites-la cuire 4 à 5 minutes de plus.
Salez, poivrez et ajoutez le fromage.
Mélangez bien et faites fondre le
fromage à feu doux. Ajoutez le
chou-fleur.

5 ▲ Portez de nouveau l'eau de
cuisson à ébullition. Salez-la et jetez-y
les pâtes. Faites-les cuire al dente.
Égouttez-les et versez-les dans un
saladier préchauffé. Nappez de sauce
et servez immédiatement.

SPAGHETTIS AU PETIT SALÉ *Spaghetti all'amatriciana*

Cette sauce est rapide à préparer avec des ingrédients que l'on a généralement sous la main.

POUR 6 PERSONNES

INGRÉDIENTS
2 cuillerées à soupe d'huile d'olive
115 g (4 oz) de petit salé non fumé
  coupé en lamelles
1 petit oignon finement haché
100 ml (1/2 tasse) de vin blanc sec
450 g (1 lb) de tomates concassées
1/4 de cuillerée à café de feuilles de
  thym séchées
Sel et poivre noir fraîchement moulu
600 g (1 lb 5 oz) de spaghettis
Parmesan frais râpé, pour servir

1 Dans une poêle de taille moyenne,
chauffez l'huile. Ajoutez le petit salé et
l'oignon et faites-les revenir 8 à 10
minutes environ à feu doux. Portez
une grande casserole d'eau à ébullition.

2 ▲ Ajoutez le vin au mélange petit
salé-oignon, montez le feu et faites
cuire à feu vif jusqu'à ce que le
liquide soit évaporé. Ajoutez les
tomates, le thym, salez et poivrez.
Couvrez et poursuivez la cuisson à
feu moyen 10 à 15 minutes.

3 ▲ Pendant ce temps, salez l'eau
bouillante et faites cuire les pâtes al
dente. Égouttez-les, mélangez-les à la
sauce et servez avec du parmesan râpé.

SPAGHETTIS AUX OLIVES

Spaghetti alla puttanesca

Cette sauce relevée, originaire de la région de Naples, doit son nom aux femmes de petite vertu qui imaginèrent cette préparation rapide.

POUR 4 PERSONNES

INGRÉDIENTS

4 cuillerées à soupe d'huile d'olive
2 gousses d'ail finement hachées
1 petit morceau de piment séché, écrasé
50 g (2 oz) de filets d'anchois en boîte, hachés
350 g (12 oz) de tomates grossièrement hachées
115 g (4 oz) d'olives noires dénoyautées
2 cuillerées à soupe de câpres rincées
1 cuillerée à soupe de concentré de tomates
400 g (14 oz) de spaghettis
2 cuillerées à soupe de persil frais

3 ▲ Ajoutez les tomates, les olives, les câpres et le concentré de tomates. Mélangez bien et poursuivez la cuisson à feu moyen.

4 Salez l'eau bouillante et jetez-y les spaghettis. Mélangez et faites cuire les pâtes al dente. Égouttez-les.

5 ▲ Versez les spaghettis dans la sauce. Montez le feu et faites cuire 3 à 4 minutes, en remuant constamment. Saupoudrez de persil si vous le désirez et servez. Traditionnellement, on ne propose pas de fromage avec cette sauce.

1 ▲ Portez une grande casserole d'eau à ébullition. Pendant ce temps, chauffez l'huile dans une grande poêle. Ajoutez l'ail et le piment et faites revenir 2 à 3 minutes, jusqu'à ce que l'ail soit juste doré.

2 ▲ Ajoutez les anchois et écrasez-les à la fourchette.

LINGUINES AUX PALOURDES

Linguine con vongole

En Italie, il existe deux types de sauces aux palourdes traditionnelles pour accompagner les pâtes : l'une avec sauce tomate, et l'autre sans. Celle que nous vous proposons ici relève de la première catégorie.

POUR 4 PERSONNES

INGRÉDIENTS

*1 kg (2 lb) de palourdes fraîches, ou
    350 g (12 oz) de palourdes
    en bocal, non égouttées
6 cuillerées à soupe d'huile d'olive
1 gousse d'ail finement hachée
400 g (14 oz) de tomates, fraîches ou
    en boîte
350 g (12 oz) de linguines
4 cuillerées à soupe de persil frais haché
Sel et poivre noir fraîchement moulu*

1 ▲ Raclez et rincez les palourdes sous le robinet d'eau froide. Mettez-les dans une grande casserole avec un verre d'eau et chauffez jusqu'à ce que les palourdes commencent à s'ouvrir. Sortez chaque palourde dès qu'elle s'ouvre et retirez-la de sa coquille avec une petite cuillère. Mettez-les dans un saladier.

2 Si les palourdes sont grosses, coupez-les en deux ou trois morceaux. Réservez tout le liquide rendu par les coquilles dans un autre saladier. Lorsque toutes les palourdes se sont ouvertes (jetez celles qui ne s'ouvrent pas), versez l'eau de cuisson sur le jus des palourdes, et filtrez le tout avec une feuille de papier absorbant pour éliminer le sable éventuel. Si vous utilisez des palourdes en bocal, gardez le liquide qu'il contient.

3 Portez une grande casserole d'eau à ébullition pour les pâtes. Pendant ce temps, chauffez l'huile et faites dorer l'ail à feu moyen.

4 ▲ Retirez l'ail et jetez-le. Ajoutez les tomates grossièrement hachées et versez le jus des palourdes. Mélangez bien et faites cuire à feu doux jusqu'à ce que la sauce commence à sécher et à s'épaissir légèrement. Salez l'eau et jetez-y les pâtes.

5 ▲ Une à 2 minutes avant que les pâtes soient cuites, ajoutez le persil et les palourdes à la sauce tomate et montez le feu. Salez et poivrez à votre goût. Égouttez les pâtes et versez-les dans un grand plat. Nappez-les de sauce chaude et mélangez bien avant de servir.

95

SPAGHETTIS AUX MOULES

Spaghetti con cozze

On mange beaucoup de moules sur le littoral italien, et elles s'accordent très bien avec les pâtes. Pour cette recette très simple, essayez de prendre les moules les plus fraîches possibles. La différence est appréciable.

POUR 4 PERSONNES

INGRÉDIENTS
1 kg (2 lb) de moules fraîches
5 cuillerées à soupe d'huile d'olive
3 gousses d'ail
4 cuillerées à soupe de persil frais haché
4 cuillerées à soupe de vin blanc
400 g (14 oz) de spaghettis
Sel et poivre noir fraîchement moulu

1 ▲ Raclez les moules, rincez-les bien sous le robinet d'eau froide, et ébarbez-les avec un petit couteau bien tranchant.

3 ▲ Lorsque toutes les moules se sont ouvertes (jetez celles qui ne s'ouvrent pas), filtrez le liquide de cuisson avec quelques feuilles de papier absorbant et réservez-le.

5 ▲ Salez et poivrez généreusement les moules.

2 ▲ Portez une grande casserole d'eau à ébullition pour les pâtes. Dans une autre casserole, mettez les moules, versez un verre d'eau et faites chauffer à feu moyen. Dès qu'elles s'ouvrent, sortez-les une à une.

4 ▲ Chauffez l'huile dans une grande poêle. Ajoutez l'ail et le persil et faites-les revenir 2 à 3 minutes. Ajoutez les moules, leur liquide de cuisson filtré et le vin. Faites cuire à feu moyen. Pendant ce temps, salez l'eau des pâtes et jetez-y les spaghettis.

6 ▲ Lorsque les spaghettis sont al dente, égouttez-les. Versez-les dans la poêle et mélangez-les bien à la sauce. Poursuivez la cuisson 3 à 4 minutes puis servez immédiatement, sans fromage.

LE CONSEIL DU CHEF

Les moules fraîches doivent être bien fermées. Si l'une d'entre elles est légèrement ouverte, refermez-la à la main. Si elle reste refermée, elle est vivante. Si elle s'ouvre de nouveau, jetez-la. Les moules fraîches doivent être consommées dans les plus brefs délais. Pour les conserver temporairement, mettez-les dans un saladier d'eau froide au réfrigérateur.

PÂTES AUX SARDINES FRAÎCHES

Pasta con sarde

Cette recette sicilienne combine sardines fraîches, pignons et raisins secs. Étonnant, non ?

POUR 4 PERSONNES

INGRÉDIENTS
30 g (1 ¹/4 oz) de raisins secs
450 g (1 lb) de sardines fraîches
6 cuillerées à soupe de chapelure
1 petit fenouil
6 cuillerées à soupe d'huile d'olive
1 petit oignon très finement émincé
30 g (1 ¹/4 oz) de pignons de pin
¹/2 cuillerée à café de graines de fenouil
Sel et poivre noir fraîchement moulu
400 g (14 oz) de pâtes creuses longues
*   (type percatellis, zites ou bucatinis)*

1 Faites tremper les raisins secs dans
l'eau chaude pendant 15 minutes,
puis égouttez-les et séchez-les.

2 ▲ Nettoyez les sardines : ouvrez-
les et retirez l'arête centrale et la
tête. Lavez-les bien et égouttez-les.
Saupoudrez-les de chapelure.

3 ▲ Hachez grossièrement les fanes
de fenouil et réservez-les. Retirez
quelques feuilles extérieures du bulbe
et lavez-les. Remplissez une grande
casserole d'eau, ajoutez-y les feuilles
de fenouil et portez à ébullition.

4 ▲ Chauffez l'huile dans une grande
poêle et faites-y légèrement sauter
l'oignon. Retirez-le et réservez-le.
Ajoutez les sardines, quelques-unes à la
fois, et faites-les dorer à feu moyen des
deux côtés, en les retournant avec
précaution. Une fois toutes les sardines
cuites, remettez-les délicatement dans
la poêle. Ajoutez l'oignon et les raisins
secs, les pignons et les graines de
fenouil. Salez et poivrez.

5 ▲ Salez l'eau bouillante et jetez-y
les zites. Faites-les cuire al dente.
Prélevez environ 4 cuillerées à soupe
de l'eau de cuisson et ajoutez-les à la
sauce, puis égouttez-les et retirez les
feuilles de fenouil. Mettez les zites
dans un saladier, nappez-les de sauce
et répartissez-les en portions
individuelles, en disposant les sardines
sur le dessus. Saupoudrez de fanes de
fenouil hachées avant de servir.

GRATIN DE MACARONIS
Maccheroni gratinati al forno

Si cette délicieuse recette n'est pas très courante en Italie, elle a fait le tour du monde et a rencontré un succès fou dans de nombreux pays, aux États-Unis notamment.

POUR 6 PERSONNES

INGRÉDIENTS
500 ml (2 tasses) de lait
1 feuille de laurier
3 lamelles de macis ou 1 pincée de
    muscade râpée
50 g (2 oz) de beurre
35 g (1 1/2 oz) de farine
Sel et poivre noir fraîchement moulu
175 g (6 oz) de parmesan râpé
40 g (1 3/4 oz) de chapelure
450 g (1 lb) de macaronis ou d'autres
    pâtes courtes et creuses

1 Préparez une béchamel : chauffez doucement le lait avec la feuille de laurier et le macis dans une petite casserole, en prenant garde de ne pas le laisser bouillir. Faites fondre le beurre dans une casserole à fond épais. Ajoutez-y la farine et mélangez bien avec un fouet métallique. Faites cuire 2 à 3 minutes, sans laisser brûler le beurre. Versez le lait chaud filtré sur le mélange beurre-farine, et fouettez le tout. Portez la sauce à ébullition en remuant constamment et poursuivez la cuisson 4 à 5 minutes de plus.

2 ▲ Salez, poivrez et ajoutez la muscade si vous n'avez pas trouvé de macis. Ajoutez le fromage (après en avoir réservé 2 cuillerées à soupe) et mélangez à feu doux jusqu'à ce qu'il fonde. Mettez un film plastique à la surface de la sauce pour éviter qu'une peau ne se forme, et réservez.

3 ▲ Portez une grande casserole d'eau à ébullition, et préchauffez le four à 200 °C (400°F). Graissez un plat à four et saupoudrez le fond de chapelure. Salez l'eau bouillante, jetez-y les pâtes, et faites-les cuire al dente mais pas plus car vous allez encore les passer au four.

4 ▲ Égouttez les pâtes et mélangez-les à la sauce. Versez-les dans le plat et saupoudrez le tout avec le reste de chapelure et le fromage râpé. Mettez le plat au milieu du four préchauffé et faites gratiner une vingtaine de minutes.

PENNES AU THON

Penne con tonno

Voici une excellente sauce relevée par la mozzarelle fraîche. Utilisez si possible du thon à l'huile.

POUR 4 PERSONNES

INGRÉDIENTS

*400 g (14 oz) de pennes ou d'autres
pâtes courtes
1 cuillerée à soupe de câpres dans la
saumure ou au sel
2 gousses d'ail
3 cuillerées à soupe de persil frais haché
200 g (7 oz) de thon en boîte égoutté
5 cuillerées à soupe d'huile d'olive
Sel et poivre noir fraîchement moulu
115 g (4 oz) de mozzarelle fraîche,
coupée en petits dés*

1 Portez une grande casserole d'eau salée à ébullition et jetez-y les pâtes.

2 ▲ Rincez bien les câpres, puis hachez-les finement avec l'ail. Mélangez au persil et au thon. Ajoutez l'huile, salez, poivrez si besoin est, puis mélangez bien.

3 ▲ Égouttez les pâtes lorsqu'elles sont juste al dente. Versez-les dans une grande poêle. Ajoutez la sauce au thon et la mozzarelle coupée en dés, et faites cuire à feu moyen en remuant constamment, jusqu'à ce que le fromage commence à fondre. Servez immédiatement.

SPAGHETTINIS AU CAVIAR

Spaghettini con caviale

Cette recette élégante est très en vogue à Rome dans les dîners mondains.

POUR 4 PERSONNES

INGRÉDIENTS

*4 cuillerées à soupe d'huile d'olive
3 oignons nouveaux finement émincés
1 gousse d'ail finement hachée
100 ml (1/2 tasse) de vodka
150 ml (2/3 de tasse) de crème fraîche
épaisse
75 g (3 oz) de caviar ou d'œufs de lump
Sel et poivre noir fraîchement moulu
400 g (14 oz) de spaghettinis*

1 ▲ Chauffez l'huile dans une poêle. Ajoutez les oignons et l'ail et faites-les revenir 4 à 5 minutes.

2 ▲ Ajoutez la vodka et la crème, et poursuivez la cuisson 5 à 8 minutes.

LE SAVIEZ-VOUS ?

Le véritable caviar est composé de laitance d'esturgeon. Le « caviar » rouge est en fait de la laitance de saumon. Il est moins cher que le vrai caviar, mais souvent plus salé, comme les œufs de lump.

3 ▲ Retirez la poêle du feu et ajoutez le caviar. Salez et poivrez si besoin est.

4 Pendant ce temps, faites cuire les spaghettinis al dente dans de l'eau bouillante salée. Égouttez les pâtes et mélangez-les à la sauce. Servez immédiatement.

FARFALLES AUX CREVETTES

Farfalle con gamberetti

Une pointe de safran donne à ce plat une ravissante teinte dorée.

POUR 4 PERSONNES

INGRÉDIENTS
3 cuillerées à soupe d'huile d'olive
2 cuillerées à soupe de beurre
2 oignons nouveaux hachés
350 g (12 oz) de crevettes décortiquées,
*   fraîches ou surgelées*
225 g (8 oz) de petits pois surgelés,
*   décongelés*
400 g (14 oz) de farfalles
250 ml (1 tasse) de vin blanc sec
Quelques filaments de safran ou
*   1 pointe de safran en poudre*
Sel et poivre noir fraîchement moulu
2 cuillerées à soupe de fanes de fenouil
*   ou d'aneth haché, pour servir*

1 Portez une grande casserole d'eau
à ébullition. Pendant ce temps,
chauffez l'huile et le beurre dans une
grande poêle et faites sauter
légèrement les oignons. Ajoutez les
crevettes et petits pois et poursuivez
la cuisson 2 à 3 minutes.

2 ▲ Salez l'eau bouillante, jetez-y les
pâtes. Ajoutez le vin et le safran au
mélange à base de crevettes. Montez
le feu et laissez cuire jusqu'à ce que
le vin ait réduit de moitié environ.
Salez et poivrez à votre goût, couvrez
et baissez le feu.

3 ▲ Égouttez les pâtes lorsqu'elles
sont al dente. Versez-les dans la poêle,
mélangez-les à la sauce et faites cuire
encore 2 à 3 minutes à feu vif.
Saupoudrez de fenouil ou d'aneth et
servez immédiatement.

PÂTES COURTES AUX PETITS LÉGUMES

Pasta primavera

Avec cette jolie sauce colorée, les primeurs donnent à vos pâtes une note printanière.

POUR 6 PERSONNES

INGRÉDIENTS
1 ou 2 carottes nouvelles
2 oignons nouveaux
150 g (6 oz) de courgettes
2 tomates
75 g (3 oz) de petits pois écossés
75 g (3 oz) de haricots verts
1 poivron jaune
4 cuillerées à soupe d'huile d'olive
2 cuillerées à soupe de beurre
1 gousse d'ail finement hachée
5 à 6 feuilles de basilic frais ciselées
Sel et poivre noir fraîchement moulu
500 g (1 1/4 lb) de pâtes courtes
*   natures ou colorées (type fusillis,*
*   pennes ou farfalles)*
Parmesan frais râpé, pour servir

1 Coupez tous les légumes en
julienne.

2 ▲ Chauffez l'huile et le beurre
dans une grande poêle. Jetez-y les
légumes coupés en petits morceaux
et faites-les revenir à feu moyen 5 à
6 minutes en remuant de temps en
temps. Ajoutez l'ail et le basilic, salez
et poivrez. Couvrez et poursuivez la
cuisson 5 à 8 minutes de plus, jusqu'à
ce que les légumes soient tendres.

3 ▲ Pendant ce temps, faites cuire
les pâtes al dente dans une grande
casserole d'eau bouillante salée.
Réservez un verre d'eau de cuisson
avant d'égoutter les pâtes.

4 Versez les pâtes dans la poêle et
mélangez-les à la sauce de façon à bien
répartir les légumes. Si la sauce paraît
trop sèche, ajoutez quelques cuillerées
d'eau de cuisson des pâtes. Servez en
proposant du parmesan râpé.

SPAGHETTIS AUX FRUITS DE MER

Spaghetti al cartoccio

Dans cette recette, chaque portion est cuite au four en papillote. Prenez pour ce faire du papier aluminium ou du papier sulfurisé.

POUR 4 PERSONNES

INGRÉDIENTS

450 g (1 lb) de moules fraîches
100 ml (¹/2 tasse) de vin blanc sec
4 cuillerées à soupe d'huile d'olive
2 gousses d'ail finement hachées
1 oignon finement haché
450 g (1 lb) de tomates pelées et
  concassées
400 g (14 oz) de spaghettis ou
  d'autres pâtes longues
225 g (8 oz) de crevettes fraîches ou
  surgelées décortiquées
2 cuillerées à soupe de persil frais haché
Sel et poivre noir fraîchement moulu

1 ▲ Raclez les moules, rincez-les bien à l'eau courante et ébarbez-les avec un petit couteau tranchant. Mettez les moules et le vin dans une grande casserole et faites chauffer jusqu'à ce qu'elles s'ouvrent.

2 ▲ Sortez les moules et réservez-les (jetez celles qui ne s'ouvrent pas). Filtrez le liquide de cuisson avec une feuille de papier absorbant et réservez-le. Préchauffez le four à 150 °C (300°F).

3 ▲ Portez une grande casserole d'eau à ébullition. Dans une autre casserole, chauffez l'huile et faites revenir l'ail et l'oignon pendant 1 à 2 minutes. Ajoutez les tomates et faites-les cuire à feu moyen à vif, jusqu'à ce qu'elles ramollissent. Ajoutez 150 ml (³/4 de tasse) du liquide de cuisson des moules. Salez l'eau bouillante et faites cuire les pâtes al dente.

4 ▲ Juste avant d'égoutter les pâtes, ajoutez les crevettes et le persil à la sauce tomate. Faites cuire 2 minutes, vérifiez l'assaisonnement et rectifiez-le si besoin est. Retirez la sauce du feu.

VARIANTE

Si vous ne trouvez pas de fruits de mer frais, vous pouvez les remplacer par des moules ou des palourdes en conserve. Dans ce cas, ajoutez-les à la sauce tomate en même temps que les crevettes.

5 ▲ Préparez quatre morceaux de papier aluminium ou sulfurisé de 30 x 45 cm (12 x 18 po) environ. Placez chaque feuille au centre d'un bol peu profond. Versez les pâtes égouttées dans un saladier. Ajoutez la sauce tomate, mélangez bien puis ajoutez les moules.

6 ▲ Répartissez les pâtes et les fruits de mer au centre des quatre feuilles de papier, et refermez les papillotes (le fait d'avoir mis un bol sous chaque papillote permet d'éviter que la sauce ne s'échappe pendant cette délicate opération). Disposez les quatre papillotes sur une grande plaque à pâtisserie et mettez-la au centre du four préchauffé. Faites cuire 8 à 10 minutes, puis disposez les papillotes encore fermées sur les assiettes.

SALADE DE PÂTES AU THON

Insalata di pasta con tonno

Voici une salade consistante prête en un tour de main.

POUR 6 À 8 PERSONNES

INGRÉDIENTS
450 g (1 lb) de pâtes courtes (type
*   ruotes, macaronis ou farfalles)*
4 cuillerées à soupe d'huile d'olive
400 g (14 oz) de thon en boîte égoutté
400 g (14 oz) de haricots blancs en
*   boîte, rincés et égouttés*
1 petit oignon rouge
2 branches de céleri
Jus de 1 citron
2 cuillerées à soupe de persil frais haché
Sel et poivre noir fraîchement moulu

1 Faites cuire les pâtes al dente dans
une grande casserole d'eau bouillante
salée. Égouttez-les et rincez-les à l'eau
froide pour arrêter la cuisson.
Égouttez-les bien et versez-les dans un
grand saladier. Ajoutez l'huile d'olive,
remuez bien et réservez. Laissez-les
refroidir complètement avant de les
mélanger aux autres ingrédients.

2 ▲ Mélangez le thon émietté
et les haricots avec les pâtes cuites.
Émincez l'oignon et le céleri et
ajoutez-les aux pâtes.

3 ▲ Ajoutez le jus de citron et le
persil, mélangez bien. Salez et
poivrez. Laissez reposer la salade au
moins 1 heure avant de la servir.

SALADE DE PÂTES AU POULET

Insalata di pasta con pollo

Voici une façon originale d'accommoder vos restes de poulet.

POUR 4 PERSONNES

INGRÉDIENTS
350 g (12 oz) de pâtes courtes (type
*   mezzes, rigatonis, fusillis ou pennes)*
3 cuillerées à soupe d'huile d'olive
225 g (8 oz) de poulet cuit froid
2 petits poivrons rouges et jaunes
50 g (2 oz) d'olives vertes dénoyautées
4 oignons nouveaux hachés
3 cuillerées à soupe de mayonnaise
1 cuillerée à café de Worcestershire Sauce
1 cuillerée à soupe de vinaigre
Sel et poivre noir fraîchement moulu
Quelques feuilles de basilic frais,
*   pour la garniture*

1 Faites cuire les pâtes al dente dans
une grande casserole d'eau bouillante
salée. Égouttez-les, rincez-les à l'eau
froide pour arrêter la cuisson,
égouttez-les de nouveau et versez-les
dans un grand saladier. Ajoutez l'huile
d'olive, remuez bien et réservez.

2 ▲ Coupez le poulet en petits
morceaux en retirant tous les os.
Coupez les poivrons en petites
lamelles après avoir jeté les graines
et les queues.

3 ▲ Mélangez tous les ingrédients
dans un saladier, à l'exception des
pâtes. Vérifiez l'assaisonnement, puis
ajoutez les pâtes. Décorez avec le
basilic et servez bien frais.

SALADE DE PÂTES AU BLÉ COMPLET *Insalata di pasta integrale*

Voici une salade végétarienne bien nourrissante agrémentée de légumes de saison, que vous pourrez utiliser crus ou légèrement blanchis.

POUR 8 PERSONNES

INGRÉDIENTS
450 g (1 lb) de pâtes courtes à la farine
  complète (type fusillis ou pennes)
3 cuillerées à soupe d'huile d'olive
2 carottes de taille moyenne
1 petit bouquet de brocolis
175 g (6 oz) de petits pois écossés,
  frais ou surgelés
1 poivron rouge ou jaune
2 branches de céleri
4 oignons nouveaux
1 grosse tomate
75 g (3 oz) d'olives dénoyautées

POUR L'ASSAISONNEMENT
3 cuillerées à soupe de vinaigre
  balsamique
4 cuillerées à soupe d'huile d'olive
1 cuillerée à soupe de moutarde de Dijon
1 cuillerée à soupe de graines de sésame
2 cuillerées à café d'aromates variés hachés
  (persil, thym et basilic par exemple)
Sel et poivre noir fraîchement moulu
115 g (4 oz) de mozzarelle coupée
  en dés

1 Faites cuire les pâtes al dente dans une grande casserole d'eau bouillante salée. Égouttez-les, rincez-les et égouttez-les de nouveau. Versez-les dans un grand saladier, ajoutez 3 cuillerées à soupe d'huile d'olive, mélangez et ajoutez les autres ingrédients.

2 ▲ Faites légèrement blanchir les carottes, les brocolis et les petits pois. Passez-les sous l'eau froide pour les rafraîchir et égouttez-les bien.

3 ▲ Hachez les carottes et les brocolis en morceaux de la taille d'une bouchée et ajoutez-les aux pâtes avec les petits pois. Émincez le poivron, le céleri, les oignons nouveaux et coupez la tomate en petits morceaux. Ajoutez-les à la salade, ainsi que les olives.

4 ▲ Préparez l'assaisonnement dans un bol, en mélangeant le vinaigre avec l'huile et la moutarde. Ajoutez ensuite les graines de sésame et les aromates. Salez et poivrez. Versez la vinaigrette sur la salade et mélangez bien. Vérifiez l'assaisonnement, et rectifiez-le si besoin est. Ajoutez le fromage et laissez reposer la salade 15 minutes avant de la servir.

SALADE DE PÂTES AUX OLIVES   *Insalata di pasta con olive*

Cette délicieuse salade qui combine tous les parfums de la Méditerranée sera particulièrement appréciée par une chaude journée d'été.

POUR 6 PERSONNES

INGRÉDIENTS

450 g (1 lb) de pâtes courtes (type
   farfalles ou pennes)
4 cuillerées à soupe d'huile d'olive
   vierge extra
10 tomates séchées au soleil, émincées
2 cuillerées à soupe de câpres, conservées
   dans la saumure ou au sel
115 g (4 oz) d'olives noires dénoyautées
2 gousses d'ail finement hachées
3 cuillerées à soupe de vinaigre
   balsamique
Sel et poivre noir fraîchement moulu
3 cuillerées à soupe de persil frais haché

3 ▲ Mélangez les olives, les tomates, les câpres, l'ail et le vinaigre dans un bol. Salez et poivrez.

4 ▲ Versez ce mélange sur les pâtes et remuez bien. Ajoutez 2 ou 3 cuillerées à soupe de l'eau de trempage des tomates si la salade paraît un peu sèche. Ajoutez le persil et laissez reposer 15 minutes avant de servir.

1 ▲ Faites cuire les pâtes al dente dans une grande casserole d'eau bouillante salée. Égouttez-les, rincez-les à l'eau froide pour arrêter la cuisson, puis égouttez-les de nouveau et versez-les dans un grand saladier. Mélangez avec l'huile d'olive et réservez.

2 ▲ Faites tremper les tomates dans un bol d'eau chaude pendant une dizaine de minutes. Ne jetez pas l'eau. Rincez bien les câpres. Si elles étaient conservées dans le sel, faites-les tremper dans un peu d'eau chaude pendant 10 minutes, puis rincez-les de nouveau.

FETTUCCINES AU JAMBON

Fettuccine con prosciutto

Le prosciutto est parfait pour cette recette nourrissante, mais néanmoins raffinée, qui fait une délicieuse entrée.

POUR 4 PERSONNES

INGRÉDIENTS

115 g (4 oz) de prosciutto ou d'un
    autre jambon cru ou cuit non fumé
50 g (2 oz) de beurre
2 échalotes très finement hachées
Sel et poivre noir fraîchement moulu
150 ml (2/3 de tasse) de crème fraîche
    épaisse
350 g (12 oz) de fettuccines (faites avec
    3 œufs)
50 g (2 oz) de parmesan râpé
Persil frais, pour garnir

2 ▲ Chauffez le beurre dans une poêle moyenne et faites dorer les échalotes et le gras de jambon. Ajoutez le jambon maigre et faites-le revenir 2 minutes. Poivrez, ajoutez la crème et maintenez au chaud pendant que les pâtes cuisent.

3 ▲ Faites cuire les pâtes al dente dans une grande casserole d'eau bouillante salée, puis égouttez-les. Versez-les dans un grand plat de service préchauffé, et mélangez avec la sauce. Ajoutez le fromage et servez immédiatement en garnissant d'un brin de persil.

1 ▲ Retirez le gras du jambon. Hachez le gras et le maigre séparément en petits carrés.

VARIANTE

Vous pouvez remplacer le jambon par 170 g (6 oz) de petits pois frais ou surgelés. Faites-les revenir dans la poêle en même temps que les échalotes.

TAGLIATELLES AU SAUMON FUMÉ

Tagliatelle con salmone

En Italie comme en France, le saumon fumé est importé, et donc assez cher. Cette délicieuse sauce crémeuse est une bonne solution pour accompagner un plat sans se ruiner !

POUR 4 À 5 PERSONNES

INGRÉDIENTS

175 g (6 oz) de saumon fumé frais
    ou surgelé
300 ml (1/4 de tasse) de crème fraîche
    liquide
1 pincée de muscade moulue
350 g (12 oz) de tagliatelles vertes et
    blanches (faites avec 3 œufs)
Sel et poivre noir fraîchement moulu
3 cuillerées à soupe de ciboulette fraîche
    hachée, pour la garniture

1 Coupez le saumon en fines lamelles de 5 cm (2 po) de long environ. Mettez-les dans un saladier avec la crème et la muscade. Mélangez, couvrez et laissez reposer au moins 2 heures dans un endroit frais.

2 ▲ Portez une grande casserole d'eau à ébullition. Pendant ce temps, versez le mélange crème-saumon dans une petite casserole et chauffez-le doucement en veillant à ne pas le faire bouillir.

3 ▲ Salez l'eau bouillante et jetez-y les pâtes. Égouttez-les lorsqu'elles sont juste al dente. Versez la sauce sur les pâtes et mélangez bien. Salez, poivrez et garnissez avec la ciboulette.

LASAGNES

Lasagne al forno

Ces lasagnes préparées avec des sauces béchamel et bolognaise maison sont un véritable régal.

POUR 8 À 10 PERSONNES

INGRÉDIENTS
Sauce bolognaise
Plaques de pâte faite avec 3 œufs, ou
*   400 g (14 oz) de lasagnes sèches*
115 g (4 oz) de parmesan râpé
40 g (1 ¹/2 oz) de beurre
POUR LA BÉCHAMEL
700 ml (3 tasses) de lait
1 feuille de laurier
1 pincée de muscade râpée
115 g (4 oz) de beurre
75 g (3 oz) de farine
Sel et poivre noir fraîchement moulu

1 Préparez la sauce bolognaise et réservez-la. Beurrez un grand plat à four, de préférence rectangulaire ou carré.
2 Préparez la béchamel : chauffez le lait doucement avec la feuille de laurier et la muscade dans une petite casserole. Faites fondre le beurre dans une autre casserole à fond épais. Ajoutez la farine et mélangez bien avec un fouet métallique. Faites cuire 2 à 3 minutes, puis versez le lait chaud filtré sur le mélange farine-beurre, en mélangeant bien le fouet. Portez la sauce à ébullition en remuant constamment, puis poursuivez la cuisson 4 à 5 minutes de plus. Salez, poivrez et réservez.

3 ⚠ Préparez la pâte. Avant qu'elle sèche, coupez-la en rectangles de 11 cm (4 ¹/2 po) de largeur environ et de la longueur du plat, pour faciliter l'assemblage. Préchauffez le four à 200 °C (400°F).

4 ⚠ Portez une très grande marmite d'eau à ébullition, et mettez un grand saladier d'eau froide près de la table de cuisson. Salez l'eau bouillante, puis jetez-y trois ou quatre rectangles de pâte. Faites-les cuire très peu, 30 secondes environ. Retirez-les de l'eau avec une spatule ajourée et plongez-les dans le saladier d'eau froide pendant 30 secondes environ. Retirez-les de l'eau et secouez-les pour les égoutter. Posez-les ensuite à plat sur un torchon, sans qu'elles se chevauchent. Répétez l'opération avec les autres plaques de pâte.

5 ⚠ Mettez tous les éléments dont vous allez avoir besoin à portée de main : le plat à four, les sauces (béchamel et bolognaise), les plaques de pâte, le parmesan râpé et le beurre. Étalez une grosse cuillerée de sauce bolognaise au fond du plat. Disposez dessus une couche de pâte, en recoupant les plaques avec un couteau bien tranchant.

6 ⚠ Recouvrez la pâte de sauce bolognaise, puis d'une couche de béchamel. Saupoudrez de fromage. Recouvrez de pâte, et répétez l'opération dans le même ordre, en terminant par une couche de pâte recouverte de béchamel. Ne mettez pas plus de six couches de pâte (s'il vous reste beaucoup d'ingrédients, garnissez plutôt un deuxième plat). Utilisez les chutes de pâte pour combler les trous, saupoudrez de fromage râpé et parsemez de noisettes de beurre.

7 Faites cuire dans le four préchauffé pendant une vingtaine de minutes, jusqu'à ce que le dessus soit bien doré, puis laissez reposer 5 minutes avant de servir. Servez directement dans le plat à four, en découpant des portions carrées ou rectangulaires.

VARIANTE

Si vous utilisez des plaques de pâte sèches ou achetées dans le commerce, suivez les instructions concernant l'étape 4, mais faites cuire les lasagnes en deux fois seulement, et arrêtez la cuisson 4 minutes environ avant le temps indiqué sur l'emballage. Rincez-les ensuite à l'eau froide et posez-les à plat de la même façon que pour la pâte fraîche aux œufs.

TAGLIOLINIS AUX ASPERGES

Tagliolini con asparagi

*Les tagliolinis sont des pâtes aux œufs très fines, faites maison, d'une consistance plus délicate
que les spaghettis. Elles s'accommodent très bien de cette subtile sauce crémeuse aux asperges.*

POUR 4 PERSONNES

INGRÉDIENTS
450 g d'asperges fraîches
*Plaques de pâte préparée avec 2 œufs,
  ou 350 g de tagliolini frais ou
  autres pâtes aux œufs*
50 g de beurre
3 oignons nouveaux finement hachés
*3 à 4 feuilles de menthe ou de basilic
  frais finement hachées*
15 cl de crème fraîche épaisse
Sel et poivre noir fraîchement moulu
50 g de parmesan frais râpé

1 ▲ Pelez les asperges en insérant un
petit couteau tranchant à la base de
la tige, et en tirant vers la pointe,
puis faites-les blanchir dans une
grande casserole d'eau bouillante
pendant 4 à 6 minutes.

2 ▲ Retirez-les de l'eau et gardez
l'eau de cuisson. Coupez d'abord les
pointes, puis les tiges en morceaux
de 4 cm de long environ. Réservez.

3 Préparez les plaques de pâte, pliez-
les et coupez-les en nouilles fines.
Déroulez les tagliolinis et laissez-les
sécher au moins 5 à 10 minutes.

4 ▲ Faites fondre le beurre dans une
grande poêle. Ajoutez les oignons et
les aromates, et faites-les revenir 3 à
4 minutes. Ajoutez la crème et les
asperges et faites-les chauffer
doucement. Salez et poivrez.

5 Faites bouillir de nouveau l'eau de
cuisson des asperges, salez-la et jetez-y
les pâtes. Faites-les cuire al dente (pour
des pâtes fraîches, 30 à 60 secondes
suffisent). Égouttez-les.

6 ▲ Versez les pâtes dans la poêle
avec la sauce, montez légèrement le
feu et mélangez bien. Ajoutez le
parmesan, mélangez de nouveau et
servez immédiatement.

114

RAVIOLIS AUX ÉPINARDS

Ravioli ripieni di magro

Il est amusant de préparer des raviolis maison, et de les farcir de différentes façons, avec des sauces à la viande, aux légumes ou au fromage. Voici une recette de farce plus légère que la garniture classique à la viande.

POUR 4 PERSONNES

INGRÉDIENTS
400 g (14 oz) d'épinards frais
   ou 175 g (6 oz) d'épinards surgelés
175 g (6 oz) de ricotta
1 œuf
50 g (2 oz) de parmesan râpé
Une pincée de muscade râpée
Sel et poivre noir fraîchement moulu
Plaques de pâte préparée avec 3 œufs

POUR LA SAUCE
75 g (3 oz) de beurre
5 à 6 brins de sauge fraîche

1 Lavez les épinards frais dans plusieurs bains d'eau froide. Mettez-les dans une casserole avec seulement l'eau restée sur les feuilles. Couvrez et faites cuire 5 minutes environ. Égouttez. Pour les épinards surgelés, suivez les instructions portées sur l'emballage. Lorsque les épinards ont refroidi, égouttez-les pour éliminer le plus d'eau possible puis hachez-les finement.

2 Mélangez les épinards hachés avec la ricotta, l'œuf, le parmesan et la noix muscade. Salez, poivrez, couvrez et réservez.

3 Préparez des plaques de pâte aux œufs très fines, étirées à la main ou à la machine. Ne laissez pas sécher la pâte.

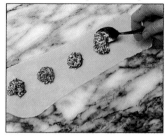

4 ▲ Déposez de petites cuillerées de farce le long des plaques de pâte, tous les 5 cm (2 po) environ. Couvrez avec une autre plaque de pâte en appuyant doucement pour éviter que des poches d'air ne se forment.

5 ▲ Avec une roulette à pâtisserie cannelée, coupez entre les boules de farce de façon à obtenir de petits carrés. Si les bords ne collent pas bien, mouillez-les avec du lait ou de l'eau et appuyez avec une fourchette. Mettez les raviolis sur une surface légèrement farinée et laissez-les sécher au moins 30 minutes. Retournez-les de temps en temps pour qu'ils sèchent des deux côtés. Portez une grande marmite d'eau salée à ébullition.

6 Chauffez le beurre et la sauge à feu très doux, en veillant à ce que le beurre ne roussisse pas.

7 ▲ Jetez les raviolis dans l'eau bouillante et remuez doucement pour qu'ils ne collent pas. Laissez-les cuire 4 à 5 minutes, égouttez-les soigneusement et disposez-les dans des assiettes individuelles. Nappez-les de sauce et servez immédiatement.

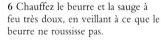

115

LASAGNES AUX LÉGUMES *Lasagne al forno con funghi e pomodori*

Pour renouveler ce grand classique que sont les lasagnes, on peut remplacer la sauce bolognaise par d'autres garnitures. C'est le cas de cette recette végétarienne à base de champignons, de légumes frais et d'aromates.

POUR 8 PERSONNES

INGRÉDIENTS
Plaques de pâte préparée avec 3 œufs
2 cuillerées à soupe d'huile d'olive
1 oignon moyen très finement haché
500 g (1 ¹/₄ lb) de tomates fraîches
  ou en boîte, hachées
Sel et poivre noir fraîchement moulu
675 g (1 ¹/₂ lb) de champignons frais
75 g (3 oz) de beurre
2 gousses d'ail finement hachées
Jus de ¹/₂ citron
1 l (4 ¹/₂ tasses) de sauce béchamel
175 g (6 oz) de parmesan frais râpé

1 Beurrez un grand plat à four, de préférence rectangulaire ou carré.

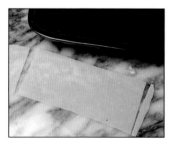

2 ▲ Préparez la pâte aux œufs. Avant qu'elle sèche, découpez des rectangles de 11 cm (4 ¹/₂ po) de largeur environ et de la longueur du plat (cela facilitera l'assemblage).

3 Dans une petite poêle, chauffez l'huile et faites revenir l'oignon, jusqu'à ce qu'il soit translucide. Ajoutez les tomates et faites cuire 6 à 8 minutes, en remuant souvent. Salez, poivrez et réservez.

4 ▲ Émincez finement les champignons. Chauffez 35 g (1 1/2 oz) de beurre dans une poêle et ajoutez les champignons lorsque le beurre mousse. Faites-les cuire jusqu'à ce qu'ils commencent à rendre leur jus. Ajoutez l'ail et le jus de citron, salez et poivrez. Poursuivez la cuisson jusqu'à ce que la plupart du liquide se soit évaporée et que les champignons commencent à roussir. Réservez.

5 ▲ Préchauffez le four à 200 °C (400°F). Portez pendant ce temps une grande marmite d'eau salée à ébullition, et installez un grand saladier d'eau froide à proximité. Couvrez un plan de travail avec un torchon. Jetez trois à quatre rectangles de pâte dans l'eau et faites-les cuire brièvement, 30 secondes environ. Sortez-les de l'eau avec une spatule ajourée, et plongez-les dans le saladier d'eau froide pendant 30 secondes environ. Retirez-les et posez-les à plat sur le torchon. Continuez avec les plaques de pâte restantes.

6 ▲ Mettez tout ce dont vous avez besoin à portée de main : le plat à four, les sauces, les plaques de pâte, le fromage et le beurre. Étalez une cuillerée de béchamel sur le fond du plat, puis disposez dessus une couche de pâte, en l'ajustant avec un couteau tranchant. Recouvrez-la de champignons, puis d'une couche de béchamel. Saupoudrez de fromage.

7 ▲ Disposez une autre couche de pâte, étalez une fine couche de tomates, puis une couche de béchamel. Saupoudrez de fromage. Répétez les opérations dans le même ordre, en terminant par une couche de pâte recouverte de béchamel. Ne superposez pas plus de six couches de pâte. Saupoudrez de fromage et parsemez de noisettes de beurre.

8 Faites cuire dans le four préchauffé pendant une vingtaine de minutes, puis laissez reposer 5 minutes avant de servir.

TORTELLIS AU POTIRON

Tortelli di zucca

En automne et en hiver, les marchés de l'Italie du Nord sont couverts de potirons flamboyants qui servent à préparer des soupes et des plats de pâtes. Nous vous proposons ici une recette de Mantoue.

POUR 6 À 8 PERSONNES

INGRÉDIENTS

1 kg (2 lb) de potiron (poids avec la peau)
75 g (3 oz) de macarons écrasés
2 œufs
75 g (3 oz) de parmesan frais râpé
1 pincée de muscade râpée
Sel et poivre noir fraîchement moulu
Miettes de pain ou chapelure
Plaques de pâte préparée avec 3 œufs

POUR SERVIR

115 g (4 oz) de beurre
75 g de parmesan frais râpé

1 Préchauffez le four à 190 °C (375°F). Coupez le potiron en morceaux de 10 cm environ, en laissant la peau. Mettez-les dans une cocotte, couvrez, et faites cuire au four pendant 45 à 50 minutes. Une fois le potiron refroidi, retirez la peau et passez la chair au presse-purée ou au mixer, ou écrasez-la dans une passoire.

2 ▲ Mélangez la purée de potiron, les biscuits écrasés, les œufs, le parmesan et la muscade. Salez et poivrez. Si le mélange est trop liquide, ajoutez 1 à 2 cuillerées à soupe de chapelure. Réservez.

3 Préparez les plaques de pâte aux œufs. Étalez-les très finement à la main ou à la machine, et ne les laissez pas sécher avant de les farcir.

4 ▲ Déposez des cuillerées de farce tous les 5 cm (2 po) le long de bandes de pâte de 6 à 7 cm (2 ¹/2 po) de large. Recouvrez-les avec une plaque de pâte en appuyant doucement. Découpez des rectangles de pâte farcis avec une roulette à pâtisserie cannelée. Placez les tortellis sur une surface légèrement farinée et laissez-les sécher au moins 30 minutes, en les retournant de temps en temps pour qu'ils sèchent bien des deux côtés.

5 Portez une grande marmite d'eau salée à ébullition. Pendant ce temps, faites fondre le beurre à feu très doux, en veillant à ne pas le faire roussir.

6 ▲ Jetez les tortellis dans l'eau bouillante et remuez pour qu'ils ne collent pas. Ils seront cuits en 4 à 5 minutes. Égouttez-les et disposez-les dans des assiettes individuelles. Nappez-les de beurre fondu, saupoudrez de parmesan.

DEMI-LUNES FARCIES

Mezzelune ripiene di formaggi

Ces jolies demi-lunes farcies avec un délicat assortiment de fromages font une entrée très raffinée.

POUR 6 À 8 PERSONNES

INGRÉDIENTS
225 g (8 oz) de ricotta fraîche
225 g (8 oz) de mozzarelle
115 g (4 oz) de parmesan râpé
2 œufs
*3 cuillerées à soupe de basilic frais
    finement haché*
Sel et poivre noir fraîchement moulu
Plaques de pâte préparée avec 3 œufs
Lait
POUR LA SAUCE
450 g (1 lb) de tomates fraîches
2 cuillerées à soupe d'huile d'olive
1 petit oignon très finement haché
6 cuillerées à soupe de crème

1 ▲ Passez la ricotta dans une passoire, et coupez la mozzarelle en tout petits cubes. Mélangez les trois fromages dans un saladier, ajoutez les œufs et le basilic et battez le tout. Réservez.

2 Préparez la sauce en plongeant les tomates 1 minute dans une petite casserole d'eau bouillante. Retirez-les, pelez-les avec un petit couteau et hachez-les finement. Chauffez l'huile dans une casserole de taille moyenne et faites revenir l'oignon, jusqu'à ce qu'il soit tendre et translucide. Ajoutez les tomates et faites-les cuire 15 minutes environ. Salez et poivrez. (Vous pouvez ensuite passer la sauce au tamis pour qu'elle soit bien lisse.) Réservez.

3 Préparez les plaques de pâte aux œufs, et étalez-les très finement à la main ou à la machine. Ne laissez pas sécher la pâte.

4 ▲ Avec un verre ou un emporte-pièce, découpez des disques de 10 cm (4 po) de diamètre environ. Déposez une bonne cuillerée à soupe de farce sur la moitié de chaque pâte et repliez-la.

5 Appuyez fermement sur les bords avec une fourchette pour sceller les pâtes. Vous pouvez étaler de nouveau les chutes au rouleau et faire davantage de pâtes. Laissez sécher les demi-lunes au moins 10 à 15 minutes en les retournant de temps en temps.

6 Portez une grande marmite d'eau salée à ébullition. Mettez la sauce tomate dans une petite casserole et chauffez-la doucement pendant que les pâtes cuisent. Ajoutez la crème et veillez à ce qu'elle ne bouille pas.

7 Plongez délicatement les demi-lunes dans l'eau bouillante en remuant pour qu'elles ne collent pas. Faites-les cuire 5 à 7 minutes. Sortez-les de l'eau, égouttez-les et nappez-les de sauce.

CANNELLONIS À LA VIANDE
Cannelloni ripieni di carne

Les cannellonis sont des rectangles de pâte aux œufs faite maison sur lesquels on étale une farce avant de les rouler et de les faire cuire au four. Nous vous proposons ici de les faire gratiner dans une délicieuse béchamel.

Pour 6 à 8 Personnes

Ingrédients

2 cuillerées à soupe d'huile d'olive
1 oignon moyen très finement haché
225 g (8 oz) de bœuf haché très maigre
75 g (3 oz) de jambon cuit
   finement haché
1 cuillerée à soupe de persil frais haché
2 cuillerées à soupe de concentré de
   tomates, dilué dans 1 cuillerée à
   soupe d'eau chaude
1 œuf
Sel et poivre noir fraîchement moulu
Plaques de pâte préparée avec 2 œufs
750 ml (3 2/3 tasses) de béchamel
50 g (2 oz) de parmesan frais râpé
40 g (1 1/2 oz) de beurre

2 ▲ Retirez du feu et versez dans un saladier. Versez le jambon et le persil, mélangez. Ajoutez le concentré de tomates et l'œuf, mélangez de nouveau. Salez, poivrez et réservez.

3 ▲ Préparez les plaques de pâte aux œufs. Avant que la pâte sèche, découpez des rectangles de 12 à 13 cm (5-6 po) de long et de 8 à 9 cm (3 po) de large (la largeur standard des rouleaux de machine).

4 Portez une grande casserole d'eau salée à ébullition. Préparez un grand saladier d'eau froide, posez-le à proximité, et couvrez un plan de travail avec un torchon. Plongez trois ou quatre plaques de pâte dans l'eau bouillante pendant 30 secondes environ. Retirez-les et plongez-les de nouveau dans l'eau froide pendant 30 secondes. Sortez-les de l'eau en les secouant pour les égoutter, puis posez-les à plat sur le torchon. Répétez l'opération avec les plaques restantes.

1 ▲ Préparez la farce à la viande : chauffez l'huile dans une casserole moyenne et faites revenir l'oignon à feu doux, jusqu'à ce qu'il soit translucide. Ajoutez le bœuf en l'émiettant à la fourchette et laissez-le cuire 3 à 4 minutes en remuant constamment, jusqu'à ce qu'il perde sa couleur rouge.

5 Préchauffez le four à 220 °C (425°F). Prenez un plat à four assez grand pour contenir tous les cannellonis en une seule couche. Beurrez le plat, et tapissez le fond avec 2 à 3 cuillerées à soupe de béchamel.

6 ▲ Versez environ un tiers de la sauce dans la farce à la viande et mélangez. Étalez une fine couche de farce sur chaque rectangle de pâte. Roulez les rectangles sur la longueur sans trop les serrer. Disposez les cannellonis dans le plat, la suture vers le bas.

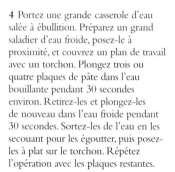

7 ▲ Versez le reste de béchamel sur les cannellonis, en en glissant un peu entre les rouleaux de pâte. Saupoudrez le tout de fromage et parsemez de noisettes de beurre. Faites cuire dans le four préchauffé une vingtaine de minutes, puis laissez reposer 5 à 8 minutes avant de servir.

Riz, Polenta, Œufs et Fromages

Nous allons maintenant vous proposer des recettes de risottos crémeux, subtilement parfumés aux champignons, aux asperges ou aux crevettes, mais aussi de la bonne polenta dorée qui accompagne à merveille les ragoûts de viande et de légumes ou bien le fromage. Rassurez-vous, les réussir sera un jeu d'enfants.

RISOTTO AU PARMESAN

Risotto alla parmigiana

C'est à son mode de cuisson très particulier que l'on distingue le risotto des autres préparations à base de riz.

POUR 3 À 4 PERSONNES

INGRÉDIENTS
1,1 l (5 ¹/2 tasses) de bouillon de poulet,
  de viande ou de légumes, de préférence
  fait maison
65 g (2 ¹/2 oz) de beurre
1 petit oignon finement haché
275 g (10 oz) de riz pour risotto, grain
  moyen (type arborio)
100 ml (¹/2 tasse) de vin blanc
Sel et poivre noir fraîchement moulu
75 g (3 oz) de parmesan frais râpé

1 Chauffez le bouillon dans une casserole de taille moyenne et laissez-le frémir jusqu'à ce que vous en ayez besoin.

2 Dans une grande sauteuse à fond épais, faites fondre les deux tiers du beurre. Ajoutez l'oignon et faites-le revenir doucement, jusqu'à ce qu'il soit tendre et doré. Ajoutez le riz et remuez bien pour l'enrober de beurre. Versez le vin 1 à 2 minutes plus tard.

3 ▲ Montez légèrement le feu et poursuivez la cuisson jusqu'à ce que le vin s'évapore. Ajoutez une louche de bouillon chaud. Faites cuire à feu moyen jusqu'à ce que le bouillon s'évapore, en remuant le riz avec une cuillère en bois pour éviter qu'il ne colle à la poêle. Ajoutez un peu de bouillon et remuez jusqu'à ce que le liquide s'évapore de nouveau. Répétez l'opération en ajoutant le bouillon petit à petit. Au bout d'une vingtaine de minutes, goûtez le riz. Salez et poivrez.

4 Poursuivez la cuisson, en ajoutant le bouillon et en remuant constamment, jusqu'à ce que le riz soit al dente, c'est-à-dire tendre mais encore ferme. Le temps de cuisson peut varier entre 20 et 35 minutes. Si vous n'avez pas assez de bouillon, remplacez-le par de l'eau bouillante.

5 ▲ Retirez la sauteuse du feu. Ajoutez le reste de beurre et le parmesan. Laissez reposer 3 à 4 minutes avant de servir.

RISOTTO AUX CREVETTES

Risotto con gamberi

Ajoutez un peu de concentré de tomates, et vous obtiendrez un risotto aux crevettes délicatement rosé.

POUR 4 PERSONNES

INGRÉDIENTS
325 g (12 oz) de crevettes fraîches non
  décortiquées
1,1 l (5 ¹/2 tasses) d'eau
1 feuille de laurier
1 à 2 brins de persil
1 cuillerée à café de grains de poivre
  entiers
2 gousses d'ail pelées
65 g (2 ¹/2 oz) de beurre
2 échalotes finement hachées
275 g (10 oz) de riz à risotto, grain
  moyen (type arborio)
1 cuillerée à soupe de concentré de
  tomates, dilué dans 10 cl (¹/2 tasse)
  de vin blanc sec
Sel et poivre noir fraîchement moulu

1 Mettez les crevettes dans une grande casserole avec l'eau, les aromates, les grains de poivre et l'ail. Portez à ébullition et faites cuire 4 minutes environ. Retirez les crevettes, décortiquez-les et remettez les carapaces dans la casserole. Faites-les bouillir 10 minutes de plus. Filtrez le bouillon, versez-le dans une autre casserole et maintenez-le frissonnant.

2 Coupez les crevettes dans le sens de la longueur. Gardez quatre moitiés pour la garniture, et hachez grossièrement le reste.

3 Faites chauffer les deux tiers du beurre dans une casserole. Faites-y dorer les échalotes, ajoutez les crevettes et faites-les cuire 1 à 2 minutes.

4 ▲ Ajoutez le riz en remuant bien pour l'enrober de beurre. Versez le mélange vin-concentré de tomates 1 à 2 minutes plus tard. Procédez ensuite en suivant les étapes 3 à 5 de la recette du risotto au parmesan. Ne mettez pas de fromage mais garnissez le plat avec les demi-crevettes prévues à cet effet.

RISOTTO AUX CHAMPIGNONS
Risotto con funghi

Les champignons des bois donnent à ce risotto un merveilleux parfum forestier.

POUR 3 À 4 PERSONNES

INGRÉDIENTS

25 g (1 oz) de champignons des bois séchés, de préférence des cèpes
175 g (6 oz) de champignons de couche
Jus de 1/2 citron
75 g (3 oz) de beurre
2 cuillerées à soupe de persil finement haché
900 ml (4 tasses) de bouillon de viande ou de poulet, de préférence fait maison
2 cuillerées à soupe d'huile d'olive
1 petit oignon finement haché
275 g (10 oz) de riz pour risotto, grain moyen (type arborio)
100 ml (1/2 tasse) de vin blanc sec
3 cuillerées à soupe de parmesan frais râpé

1 Mettez les champignons séchés dans un petit saladier avec 350 ml (1 1/2 tasse) d'eau chaude, et faites-les tremper au moins 40 minutes. Rincez bien les champignons. Filtrez l'eau de trempage avec une passoire tapissée de feuilles de papier absorbant, et réservez.

2 ▲ Essuyez les champignons frais avec un chiffon humide, et émincez-les finement. Mettez-les dans un saladier et arrosez-les de jus de citron. Mélangez. Dans une grande sauteuse, faites fondre un tiers du beurre. Ajoutez les champignons frais émincés et faites cuire à feu moyen jusqu'à ce qu'ils rendent leur jus et commencent à dorer. Ajoutez le persil, faites cuire 30 secondes supplémentaires, versez-les dans un plat et réservez.

3 Versez le bouillon dans une casserole, ajoutez-y l'eau de trempage des champignons et faites frémir.

4 ▲ Chauffez un autre tiers du beurre avec l'huile d'olive dans la casserole où les champignons ont cuit. Dorez l'oignon, puis ajoutez le riz en remuant bien 1 à 2 minutes pour l'enrober de matière grasse. Ajoutez les champignons secs et les champignons sautés, et mélangez bien.

5 ▲ Versez le vin et faites cuire à feu moyen jusqu'à ce qu'il s'évapore. Procédez ensuite en suivant les étapes 3 à 5 de la recette du risotto au parmesan.

6 Retirez le risotto du feu. Ajoutez le beurre restant et le parmesan. Salez et poivrez à votre goût. Laissez reposer le risotto 3 à 4 minutes avant de le servir.

RISOTTO AUX ASPERGES

Risotto con asparagi

Voici une recette raffinée à préparer pendant la saison des asperges.

INGRÉDIENTS
225 g (8 oz) d'asperges, la partie
inférieure pelée
700 ml (3 tasses) de bouillon de viande
ou de légumes, de préférence fait
maison
65 g (2 1/2 oz) de beurre
1 petit oignon finement haché
400 g (14 oz) de riz pour risotto, grain
moyen (type arborio)
75 g (3 oz) de parmesan frais râpé
Sel et poivre noir fraîchement moulu

1 Portez une grande casserole d'eau à
ébullition. Ajoutez les asperges et
faites-les blanchir 5 minutes. Retirez-
les de l'eau et conservez l'eau de
cuisson. Rincez les asperges à l'eau
froide, égouttez-les et coupez-les en
diagonale en morceaux de 4 cm
(1 1/2 po) de long. Réservez les
pointes et les morceaux du haut.

2 Versez le bouillon dans une
casserole, avec 850 ml (3 3/4 tasses)
d'eau de cuisson des asperges. Faites
frémir et maintenez au chaud.

4 🔺 Ajoutez une demi-louche de
bouillon chaud et remuez
constamment avec une cuillère en
bois, jusqu'à ce que le liquide ait été
absorbé ou se soit évaporé. Ajoutez
une autre demi-louche de liquide,
remuez et répétez l'opération
pendant une dizaine de minutes.

5 🔺 Ajoutez les morceaux d'asperge
restants et suivez les étapes 4 et 5 de
la recette de risotto au parmesan.

6 Retirez le risotto du feu. Ajoutez
le beurre restant et le parmesan. Salez
et poivrez à votre goût. Servez
immédiatement.

3 🔺 Chauffez deux tiers du beurre
dans une grande casserole, et faites
dorer l'oignon. Ajoutez les morceaux
d'asperge, à l'exception des morceaux
que vous avez réservés. Faites cuire 2
à 3 minutes, puis ajoutez le riz et
mélangez bien
pour l'enrober de beurre.

POLENTA

Polenta

La polenta est un plat à base de farine de maïs qui remplace parfois les pâtes ou le riz dans le Nord de l'Italie.

POUR 4 À 6 PERSONNES

INGRÉDIENTS
1,5 l (6 ¼ tasses) d'eau
1 cuillerée à soupe de sel
350 g (12 oz) de polenta

1 ▲ Portez l'eau à ébullition dans une grande casserole à fond épais. Ajoutez le sel, puis baissez le feu. Lorsque l'eau frémit, jetez la polenta en pluie fine. Remuez constamment avec un fouet jusqu'à ce que toute la polenta ait été incorporée.

2 ▲ Prenez maintenant une cuillère en bois à long manche et continuez à remuer la polenta à feu doux, jusqu'à ce qu'elle forme une masse épaisse qui se détache des parois de la casserole. Cela peut prendre 25 à 50 minutes suivant le type de polenta utilisé. Ne cessez de remuer la polenta que lorsque vous la retirez du feu, elle sera bien meilleure.

3 ▲ Une fois la polenta cuite, transférez-la à la cuillère dans un saladier humide, attendez 5 minutes et renversez-le pour la démouler sur un plat de service. Servez-la avec une sauce à base de viande ou de tomate, ou accommodez-la en vous inspirant des recettes qui suivent.

POLENTA FRITE

Polenta fritta

Vous pouvez faire frire vos restes de polenta : vous obtiendrez ainsi des amuse-gueules croustillants.

POUR 4 À 6 PERSONNES

INGRÉDIENTS
Reste de polenta froide
Huile de friture
Farine
Sel et poivre noir fraîchement moulu

2 Chauffez l'huile jusqu'à ce qu'un petit morceau de pain grésille quand on l'y jette.

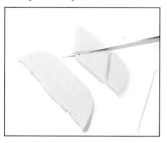

1 ▲ Coupez la polenta en tranches de 1 cm (½ po) d'épaisseur environ. Coupez ensuite les tranches en triangles ou en disques.

3 ▲ Salez et poivrez la farine. Enrobez légèrement les morceaux de polenta de farine, et secouez-les pour en éliminer l'excédent.

4 ▲ Faites frire les morceaux de polenta quatre par quatre, jusqu'à ce qu'ils soient dorés et croustillants. Égouttez-les sur une feuille de papier absorbant pendant que vous faites frire le reste. Servez immédiatement.

POLENTA AUX CHAMPIGNONS

Polenta con funghi

Voici une excellente recette qui associe champignons des bois et champignons de couche. Il suffit de quelques cèpes séchés pour donner aux champignons de couche un délicieux parfum boisé.

POUR 6 PERSONNES

INGRÉDIENTS

10 g (1/4 oz) de cèpes séchés (inutiles si
   vous utilisez des champignons
   des bois frais)
4 cuillerées à soupe d'huile d'olive
1 petit oignon finement haché
700 g (1 1/2 lb) de champignons frais,
   de couche ou des bois, ou un mélange
   des deux
2 gousses d'ail finement hachées
3 cuillerées à soupe de persil frais haché
3 tomates pelées et coupées en dés
1 cuillerée à soupe de concentré de
   tomates
175 ml (3/4 de tasse) d'eau chaude
1/4 de cuillerée à café de feuilles de thym
   frais, ou 1/8 de cuillerée à café de
   thym séché
1 feuille de laurier
Sel et poivre noir fraîchement moulu
Quelques brins de persil frais

POUR LA POLENTA

1,5 l (6 1/4 tasses) d'eau
1 cuillerée à soupe de sel
350 g (12 oz) de polenta

1 ▲ Faites tremper les champignons
séchés dans un petit bol d'eau
chaude pendant 20 minutes. Retirez-
les de l'eau avec une spatule ajourée,
et rincez-les bien à l'eau froide.
Filtrez l'eau de trempage avec une
passoire tapissée de feuilles de papier
absorbant, et réservez.

2 Dans une grande poêle, chauffez
l'huile et faites dorer l'oignon à feu
doux.

3 ▲ Nettoyez les champignons frais en
les essuyant avec un chiffon humide,
puis coupez-les en tranches. Lorsque
l'oignon est tendre, ajoutez les
champignons. Mélangez et faites cuire
à feu moyen jusqu'à ce que les
champignons rendent leur jus. Ajoutez
l'ail, le persil et les tomates coupées en
dés. Faites cuire 4 à 5 minutes.

4 ▲ Diluez le concentré de tomates
dans l'eau chaude (ne prenez que
100 ml d'eau chaude si vous utilisez
des champignons secs). Ajoutez-le à
la poêlée avec les aromates. Ajoutez
ensuite les champignons secs et leur
liquide de trempage (si vous en
utilisez). Mélangez bien, salez et
poivrez. Baissez le feu et poursuivez
la cuisson à feu doux pendant 15 à
20 minutes. Réservez.

5 ▲ Préparez la polenta : portez l'eau
à ébullition dans un grand faitout.
Salez, puis baissez le feu et jetez la
polenta en pluie fine. Remuez
constamment avec un fouet
métallique, jusqu'à ce que toute la
polenta ait été incorporée.

6 Prenez ensuite une longue spatule
en bois et continuez à remuer
pendant 25 à 50 minutes suivant le
type de polenta utilisé, jusqu'à
obtention d'une masse épaisse qui se
détache des parois de la casserole.
N'arrêtez de remuer que lorsque
vous retirez la polenta du feu, le jeu
en vaut la chandelle.

7 ▲ Lorsque la polenta est presque
cuite, réchauffez doucement la sauce
aux champignons. Pour servir, versez
la polenta sur un plat de service
préchauffé. Creusez un puits au centre
et versez-y une partie de la sauce aux
champignons. Garnissez de persil.
Servez immédiatement, en proposant
le reste de sauce dans un plat à part.

POLENTA GRILLÉE AU GORGONZOLA   *Polenta alla griglia*

La polenta grillée est une délicieuse façon d'utiliser des restes de polenta froide. Tartinez-la avec n'importe quel fromage crémeux et parfumé, ou servez-la nature en accompagnement d'une soupe ou d'un ragoût.

POUR 6 À 8 PERSONNES
EN GUISE D'EN-CAS OU D'ENTRÉE

INGRÉDIENTS
1,5 l (6 1/4 tasses) d'eau
1 cuillerée à soupe de sel
350 g (12 oz) de polenta
225 g (8 oz) de gorgonzola ou autre
   fromage facile à tartiner,
   à température ambiante

1 ▲ Portez l'eau à ébullition dans une grande cocotte. Salez et baissez le feu. Jetez la polenta en pluie fine dans l'eau frémissante en remuant constamment avec un fouet métallique, jusqu'à ce que toute la polenta ait été incorporée.

2 ▲ Prenez ensuite une cuillère en bois à long manche et continuez à remuer en faisant cuire la polenta à feu doux, jusqu'à obtention d'une masse épaisse qui se détache des parois de la cocotte. Cela peut prendre 25 à 50 minutes suivant le type de polenta utilisé, mais tenez bon car le résultat n'en sera que meilleur.

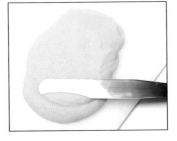

3 ▲ Une fois la polenta cuite, arrosez un plan de travail de quelques gouttes d'eau. Étalez la polenta sur cette surface en une couche de 1,5 cm (3/4 po) d'épaisseur environ. Laissez refroidir complètement. Préchauffez le gril.

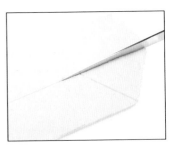

4 ▲ Découpez la polenta en triangles. Faites-la griller, jusqu'à ce qu'elle soit chaude et dorée des deux côtés. Tartinez-la de fromage et servez immédiatement.

GRATIN DE POLENTA AU FROMAGE · *Polenta pasticciata*

*Vous pouvez également couper la polenta froide en tranches et la faire gratiner au four avec du fromage
et d'autres ingrédients. Pour la couper, on utilise traditionnellement un couteau en bois ou un gros fil.*

POUR 4 À 6 PERSONNES

INGRÉDIENTS

75 g (3 oz) de beurre
Polenta cuite chaude, préparée
   avec 250 g (9 oz) de farine de maïs
3 cuillerées à soupe d'huile d'olive
2 oignons de taille moyenne, finement
   émincés
1 pincée de muscade râpée
Sel et poivre noir fraîchement moulu
150 g (5 oz) de mozzarelle ou de
   cantal coupés en tranches fines
3 cuillerées à soupe de persil frais
   finement haché
35 g (1 1/2 oz) de parmesan frais râpé

1 ▲ Ajoutez un tiers du beurre dans
la polenta cuite. Humectez un plan
de travail et étalez la polenta sur
cette surface en une couche de 1 cm
(1/2 po) d'épaisseur environ. Laissez
refroidir. Découpez la polenta en
rondelles de 6 cm (2 1/2 po) de
diamètre environ.

2 ▲ Chauffez l'huile dans une
casserole de taille moyenne avec 15 g
(1/2 oz) du beurre restant. Ajoutez les
oignons et faites-les revenir à feu
doux, jusqu'à ce qu'ils soient tendres.

3 ▲ Assaisonnez les oignons de
muscade, salez et poivrez.
Préchauffez le four à 190 °C
(375°F). Beurrez un plat à four et
étalez une partie des oignons sur le
fond du plat. Couvrez avec une
couche de rondelles de polenta, et
parsemez-les de noisettes de beurre.

4 ▲ Ajoutez une couche de
mozzarelle ou de cantal, saupoudrez
de persil et de parmesan. Salez et
poivrez. Disposez une autre couche
d'oignons, et ainsi de suite en
suivant l'ordre initial et en terminant
par le parmesan. Parsemez le dessus
de quelques noisettes de beurre et
enfournez pendant 20 à 25 minutes,
jusqu'à ce que le fromage ait fondu.

TIMBALE DE RIZ AUX PETITS POIS *Timballo di riso con piselli*

Ce plat préparé comme un risotto est ensuite passé au four, puis démoulé sur le plat de service.

POUR 4 PERSONNES

INGRÉDIENTS
75 g (3 oz) de beurre
2 cuillerées à soupe d'huile d'olive
1 petit oignon finement haché
50 g (2 oz) de jambon coupé
  en petits dés
2 gousses d'ail très finement hachées
3 cuillerées à soupe de persil frais
  haché, plus quelques brins pour la
  garniture
225 g (8 oz) de petits pois écossés,
  frais ou surgelés
Sel et poivre noir fraîchement moulu
60 ml d'eau
1,25 l (5 1/2 tasses) de bouillon de
  viande ou de poulet, de préférence
  fait maison
275 g (10 oz) de riz pour risotto,
  grain moyen (type arborio)
75 g (3 oz) de parmesan frais râpé
175 g (6 oz) de fontine (ou d'un autre
  fromage type comté), coupé en
  tranches très fines

1 ▲ Chauffez la moitié du beurre et toute l'huile dans une grande sauteuse et faites-y revenir l'oignon quelques minutes. Ajoutez le jambon, remuez et faites-le revenir 3 à 4 minutes à feu moyen. Ajoutez l'ail et le persil. Poursuivez la cuisson 1 à 2 minutes, puis ajoutez les petits pois. Mélangez bien, salez, poivrez et ajoutez l'eau. Couvrez et faites cuire environ 8 minutes si les pois sont frais, 4 minutes s'ils sont surgelés. Retirez le couvercle et faites cuire jusqu'à ce que le liquide se soit évaporé. Versez la moitié des pois dans un plat.

2 Faites frémir le bouillon et gardez-le au chaud. Beurrez un plat à four plat et tapissez le fond avec du papier sulfurisé beurré.

3 ▲ Ajoutez le riz aux petits pois qui se trouvent encore dans la sauteuse. Au bout de 1 ou 2 minutes, ajoutez une petite louche de bouillon chaud. Faites cuire à feu moyen jusqu'à ce que le bouillon soit absorbé. Ajoutez encore un peu de bouillon, et remuez jusqu'à ce que le liquide soit de nouveau absorbé, et ainsi de suite.

4 ▲ Préchauffez le four à 180 °C (350°F). Au bout de 20 minutes de cuisson, goûtez le riz. Dès qu'il est al dente, retirez la sauteuse du feu. Vérifiez l'assaisonnement et rectifiez-le si besoin est. Ajoutez au riz presque tout le beurre et la moitié du parmesan râpé, et mélangez.

5 Saupoudrez le fond du plat avec un peu de parmesan râpé. Versez la moitié du riz, puis une fine couche de fontine suivie d'une couche du mélange petits pois-jambon que vous aviez réservé. Saupoudrez de parmesan.

6 ▲ Recouvrez avec les tranches de fontine restantes et terminez par le riz. Saupoudrez de parmesan râpé et parsemez de noisettes de beurre. Faites cuire dans le four préchauffé pendant 10 à 15 minutes. Sortez le plat du four et laissez-le reposer 10 minutes.

7 ▲ Pour démouler la timbale, passez la pointe d'un couteau entre le riz et le plat. Mettez un plat de service à l'envers sur le plat à four. Avec des maniques, prenez le plat à four et retournez-le tout en maintenant le plat de service. Si le riz ne descend pas, donnez un coup sec de la main sur le fond du plat. Retirez le papier sulfurisé et garnissez de brins de persil. Servez immédiatement.

BOULETTES DE RIZ FRITES AU FROMAGE
Suppli

*Ces boulettes de risotto farcies de mozzarelle font un en-cas très populaire à Rome
et dans le Centre de l'Italie.*

POUR 4 PERSONNES

INGRÉDIENTS
*Risotto aux champignons ou risotto
au parmesan (voir recettes pages
précédentes)*
3 œufs
Chapelure
*115 g (4 oz) de mozzarelle coupée
en petits dés*
Huile de friture
Farine

1 ▲ Laissez refroidir le risotto
complètement (les boulettes sont
encore meilleures si vous utilisez du
risotto de la veille). Battez 2 œufs et
mélangez-les bien au risotto.

2 ▲ Formez à la main des boulettes
de risotto de la taille d'un bel œuf.
Si le mélange n'est pas assez épais,
ajoutez quelques cuillerées de
chapelure. Faites un trou au centre
de chaque boulette et remplissez-le
de quelques petits dés de mozzarelle
avant de le refermer avec le mélange
à base de riz.

3 Chauffez l'huile jusqu'à ce qu'un
petit morceau de pain grésille dès
qu'on l'y jette.

4 ▲ Mettez un peu de farine dans
une assiette. Battez le dernier œuf
dans une assiette creuse, et mettez de
la chapelure dans une autre. Roulez
les boulettes dans la farine, puis dans
l'œuf et enfin dans la chapelure.

5 ▲ Faites frire les boulettes quatre
par quatre, jusqu'à ce qu'elles soient
croustillantes et dorées. Égouttez-les
sur une feuille de papier absorbant.
Servez très chaud.

GNOCCHIS DE POMMES DE TERRE
Gnocchi di patate

Les gnocchis sont des petites boulettes préparées soit avec de la purée de pommes de terre et de la farine, comme ici, soit avec de la semoule. Elles doivent être fines et légères, aussi veillez à ne pas trop travailler la pâte.

POUR 4 À 6 PERSONNES

INGRÉDIENTS
1 kg (2 lb) de pommes de terre fermes
1 cuillerée à soupe de sel
250 à 300 g (9-11 oz) de farine
1 œuf, 1 pincée de muscade râpée
25 g (1 oz) de beurre
Parmesan frais râpé, pour servir

1 Mettez les pommes de terre avec leur peau dans une grande casserole d'eau salée. Portez à ébullition et faites cuire jusqu'à ce que les pommes de terre soient tendres mais ne s'écrasent pas. Égouttez-les, épluchez-les immédiatement.

2 Farinez un plan de travail. Écrasez les pommes de terre au presse-purée en les faisant tomber directement sur la farine. Saupoudrez avec environ la moitié de la farine restante et mélangez délicatement le tout. Cassez l'œuf et incorporez-le au mélange. Ajoutez la muscade, pétrissez légèrement en rajoutant de la farine si besoin est. Lorsque la pâte est douce au toucher et ni humide, ni collante, elle est prête à être roulée. Ne la travaillez pas trop.

3 ▲ Divisez la pâte en quatre. Sur une planche légèrement farinée, formez quatre rouleaux de 2 cm (³/4 po) de diamètre environ, que vous couperez en morceaux de 2 cm (³/4 po) de long.

4 ▲ En vous appuyant sur le plan de travail, tenez une fourchette à plat. Faites légèrement rouler les gnocchis un par un sur les dents de la fourchette, de façon à obtenir des rainures d'un côté et un creux formé par votre pouce de l'autre.

5 Portez une grande casserole d'eau à ébullition. Salez et jetez la moitié des gnocchis environ.

6 ▲ Les gnocchis sont cuits lorsqu'ils remontent à la surface au bout de 3 à 4 minutes. Sortez-les de l'eau, égouttez-les. Parsemez de noisettes de beurre. Gardez-les au chaud pendant que vous faites cuire les autres gnocchis. Une fois tous les gnocchis cuits, ajoutez le beurre ou une sauce chaude, mélangez bien, saupoudrez de parmesan râpé et servez.

137

Gnocchis aux épinards

Gnocchi di spinaci

Ces gnocchis verts sont préparés de la même façon que les gnocchis de pommes de terre de la page précédente, à la seule différence que l'on ajoute des épinards frais ou surgelés au mélange.

Pour 6 Personnes

Ingrédients

750 g (1 1/2 lb) d'épinards frais ou 400 g (14 oz) d'épinards surgelés en branches
1 kg de pommes de terre fermes et non farineuses, grattées
Sel
250 à 300 g (9-11 oz) de farine
1 œuf
1 pincée de muscade râpée
50 g (2 oz) de beurre
Parmesan frais râpé, pour servir

1 Lavez les épinards frais dans plusieurs bains d'eau froide, retirez les tiges trop coriaces et mettez-les dans une casserole avec l'eau restée sur les feuilles. Couvrez et faites cuire à feu moyen 5 à 8 minutes en remuant de temps en temps, jusqu'à ce que les épinards soient tendres. Enlevez le couvercle et poursuivez la cuisson 2 à 3 minutes pour faire évaporer un peu d'eau. Retirez du feu et égouttez.

2 ▲ Faites cuire les épinards surgelés conformément aux instructions portées sur l'emballage. Épongez-les et hachez-les finement.

3 Mettez les pommes de terre avec leur peau dans une grande casserole d'eau salée. Portez à ébullition et faites cuire les pommes de terre, jusqu'à ce qu'elles soient tendres mais ne s'écrasent pas. Égouttez-les, puis épluchez-les rapidement, tant qu'elles sont encore chaudes.

4 ▲ Farinez un plan de travail. Écrasez les pommes de terre au presse-purée et faites-les tomber directement sur la farine. Ajoutez les épinards et mélangez-les à la purée. Ajoutez la moitié du reste de farine environ et mélangez le tout.

5 Cassez l'œuf sur le mélange, ajoutez la muscade et pétrissez légèrement la pâte en rajoutant de la farine si besoin est. Lorsque la pâte est douce au toucher et ni humide, ni collante, elle est prête à être roulée. Ne la travaillez pas trop sinon les gnocchis seraient lourds.

6 ▲ Divisez la pâte en quatre, farinez un plan de travail et formez quatre rouleaux de 2 cm (3/4 po) de diamètre environ. Coupez-les ensuite en morceaux de 2 cm (3/4 po) de longueur environ.

7 ▲ Tenez une fourchette à longues dents à plat en appuyant votre main sur la table. Pressez les morceaux de pâte l'un après l'autre sur la fourchette en les faisant rouler sur les dents, de façon à obtenir des rainures d'un côté et un creux formé par votre pouce de l'autre.

8 ▲ Portez une grande casserole d'eau à ébullition. Salez-la et jetez-y la moitié des gnocchis. Ils sont cuits au bout de 3 à 4 minutes, lorsqu'ils remontent à la surface de l'eau. Retirez-les de l'eau avec une grande écumoire ou une spatule ajourée et mettez-les dans un saladier préchauffé. Maintenez-les au chaud pendant que les autres gnocchis cuisent. Dès qu'ils sont cuits, ajoutez-les aux premiers et nappez-les de beurre ou de sauce chaude. Saupoudrez de parmesan et servez.

Gnocchis de semoule

Gnocchi di semola

. . . .

Ce plat romain fort connu est à base de semoule grossièrement moulue, cuite comme la polenta.
La pâte est ensuite découpée en rondelles et gratinée avec du beurre et du fromage.

<u>Pour 4 Personnes</u>

Ingrédients
1 l (4 ¹/2 tasses) de lait
1 pincée de sel
35 g (1 ¹/2 oz) de beurre
250 g (9 oz) de semoule grossièrement
  moulue
3 jaunes d'œufs
45 g de parmesan frais râpé
Pour gratiner
60 g (2 ¹/4 oz) de beurre fondu
60 g (2 ¹/4 oz) de parmesan frais râpé
1 pincée de muscade râpée

1 ▲ Chauffez le lait avec le sel et un tiers du beurre dans une grande casserole. Lorsqu'il bout, jetez la semoule en pluie en remuant avec un fouet métallique pour éviter la formation de grumeaux. Portez le mélange à ébullition. Baissez le feu et laissez frémir pendant 15 à 20 minutes en remuant de temps en temps. Ce mélange sera très épais.

2 ▲ Enlevez du feu et ajoutez le beurre restant, puis les jaunes d'œufs un par un. Ajoutez le parmesan râpé, puis salez. Humectez un plan de travail de quelques gouttes d'eau. Étalez la semoule chaude sur une épaisseur de 1 cm (¹/2 po) environ. Laissez refroidir au moins 2 heures.

4 ▲ Disposez les chutes de semoule au fond du plat. Versez dessus un peu de beurre fondu et saupoudrez de parmesan. Recouvrez le tout avec des rondelles de semoule en les faisant se chevaucher légèrement. Saupoudrez de muscade et de parmesan râpés, et arrosez de beurre fondu. Répétez l'opération tant qu'il vous reste des ingrédients.

Le saviez-vous ?

La semoule est faite avec du blé dur, le même type de blé que l'on utilise pour fabriquer les pâtes sèches. Achetez-la en petite quantité et mettez-la dans un récipient hermétique, car elle ne se conserve pas très longtemps.

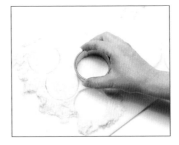

3 ▲ Préchauffez le four à 220 °C (425°F) . Beurrez un plat à four. Avec un emporte-pièce, découpez des rondelles de semoule de 6 cm (2 ¹/2 po) de diamètre environ.

5 Faites cuire une vingtaine de minutes, jusqu'à ce que le dessus soit doré. Sortez le plat du four et laissez reposer 5 minutes avant de servir.

FRITTATA AUX TOMATES SÉCHÉES *Frittata con pomodori secchi*

Quelques tomates séchées au soleil donnent à cette omelette un parfum très méditerranéen.

POUR 3 À 4 PERSONNES

INGRÉDIENTS

6 tomates séchées au soleil, conservées
   sèches ou à l'huile
4 cuillerées à soupe d'huile d'olive
1 petit oignon finement haché
1 pincée de feuilles de thym frais
Sel et poivre noir fraîchement moulu
6 œufs
50 g (2 oz) de parmesan frais râpé

3 ▲ Cassez les œufs dans un saladier et battez-les légèrement à la fourchette. Ajoutez 3 à 4 cuillerées à soupe de l'eau de trempage des tomates et le parmesan râpé. Montez le feu sous la poêle. Lorsque l'huile grésille, versez les œufs et mélangez rapidement aux autres ingrédients. Arrêtez de remuer, baissez le feu et poursuivez la cuisson 4 à 5 minutes, jusqu'à ce que la frittata soit dorée et boursouflée.

4 ▲ Posez une grande assiette à l'envers sur la poêle et retournez la poêle en tenant fermement l'assiette. Faites glisser la frittata renversée dans la poêle et poursuivez la cuisson pendant 3 à 4 minutes, jusqu'à ce que le second côté soit doré. Retirez du feu. Vous pouvez servir la frittata chaude, froide ou à température ambiante.

1 ▲ Mettez les tomates dans un bol et couvrez-les d'eau bouillante. Faites-les tremper 15 minutes environ, puis sortez-les de l'eau et coupez-les en fines lamelles. Gardez l'eau de trempage.

2 ▲ Chauffez l'huile dans une grande poêle et faites dorer l'oignon 5 à 6 minutes. Ajoutez les tomates et le thym et remuez en poursuivant la cuisson à feu moyen pendant 2 à 3 minutes. Salez et poivrez.

Frittata aux pâtes

Frittata di pasta avanzata

Voici une façon ingénieuse d'accommoder un reste de pâtes, quelle que soit la sauce qui les accompagnait.

Pour 4 Personnes

Ingrédients
5 à 6 œufs
225 à 275 g (8-10 oz) de pâtes cuites
*   froides, quelle que soit la sauce*
*   d'accompagnement*
50 g (2 oz) de parmesan frais râpé
Sel et poivre noir fraîchement moulu
65 g (2 1/2 oz) de beurre

2 ▲ Chauffez la moitié du beurre dans une grande poêle. Dès qu'il arrête de mousser, versez le mélange à base de pâtes et faites-le cuire à feu moyen sans remuer pendant 4 à 5 minutes. Détachez la frittata en secouant la poêle d'avant en arrière.

3 ▲ Posez une grande assiette à l'envers sur la frittata et retournez la poêle en tenant fermement l'assiette. Mettez le reste de beurre dans la poêle. Dès qu'il arrête de mousser, faites glisser la frittata dans la poêle et poursuivez la cuisson pendant 3 à 4 minutes. Retirez du feu. Vous pouvez servir la frittata chaude, froide ou à température ambiante.

1 ▲ Dans un saladier, cassez les œufs et battez-les à la fourchette. Ajoutez les pâtes et le parmesan. Salez et poivrez.

Frittata aux oignons

Frittata con cipolle

Les oignons donnent une délicieuse saveur sucrée à cette frittata.

Pour 3 à 4 Personnes

Ingrédients
4 cuillerées à soupe d'huile d'olive
2 oignons moyens finement émincés
Sel et poivre noir fraîchement moulu
2 cuillerées à soupe de persil frais haché
6 œufs

1 Chauffez l'huile dans une grande poêle. Faites-y dorer les oignons à feu doux pendant 10 à 15 minutes. Salez, poivrez et ajoutez le persil.

2 Cassez les œufs dans un saladier et battez-les à la fourchette. Montez le feu sous les oignons et lorsqu'ils grésillent, versez les œufs. Mélangez rapidement le tout pour bien répartir les oignons, puis arrêtez de remuer.

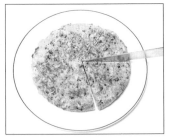

3 ▲ Faites cuire 5 minutes environ le premier côté, jusqu'à ce que la frittata soit boursouflée. Si vous avez l'impression qu'elle colle à la poêle, secouez la poêle d'avant en arrière pour la détacher.

4 ▲ Posez une grande assiette à l'envers sur la poêle et en la tenant fermement, retournez la poêle. Faites glisser la frittata ainsi retournée dans la poêle et poursuivez la cuisson de l'autre côté pendant 3 à 4 minutes. Retirez du feu et servez.

FRITTATA AUX ÉPINARDS

Frittata con spinaci

En Italie, on garnit souvent les sandwiches avec de la frittata.

POUR 6 PERSONNES

INGRÉDIENTS
200 g (7 oz) d'épinards cuits, frais
*   ou surgelés*
3 cuillerées à soupe d'huile d'olive
4 oignons nouveaux finement émincés
1 gousse d'ail finement hachée
50 g (2 oz) de jambon cru ou cuit,
*   coupé en petits dés*
Sel et poivre noir fraîchement moulu
8 œufs

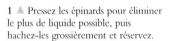

3 ▲ Cassez les œufs dans un saladier et battez-les à la fourchette. Montez le feu sous les légumes. Au bout de 1 minute environ, versez les œufs. Mélangez-les rapidement aux autres ingrédients puis arrêtez de remuer. Faites cuire à feu moyen pendant 5 à 6 minutes sur la première face, jusqu'à ce que la frittata soit boursouflée.

4 ▲ Posez une grande assiette à l'envers sur la frittata et retournez rapidement la poêle en tenant fermement l'assiette. Faites glisser la frittata ainsi retournée dans la poêle et poursuivez la cuisson de l'autre côté pendant 3 à 4 minutes. Retirez du feu. Vous pouvez servir la frittata chaude, froide ou à température ambiante

1 ▲ Pressez les épinards pour éliminer le plus de liquide possible, puis hachez-les grossièrement et réservez.

2 ▲ Chauffez l'huile dans une grande poêle. Faites-y revenir les oignons nouveaux pendant 3 à 4 minutes. Ajoutez l'ail et le jambon, et poursuivez la cuisson à feu moyen en remuant jusqu'à ce que les ingrédients soient bien dorés. Ajoutez les épinards et faites cuire 3 à 4 minutes pour les réchauffer. Salez et poivrez.

SALADE DE FRITTATA

Frittata fredda in insalata

Servie avec une sauce tomate, la frittata froide est idéale pour un repas d'été léger.

POUR 3 À 4 PERSONNES

INGRÉDIENTS
6 œufs
2 cuillerées à soupe d'aromates frais
finement hachés (basilic, persil,
thym, estragon, etc.)
35 g (1 ¹/2 oz) de parmesan frais râpé
Sel et poivre noir fraîchement moulu
3 cuillerées à soupe d'huile d'olive
POUR LA SAUCE TOMATE
2 cuillerées à soupe d'huile d'olive
1 petit oignon finement haché
350 g (12 oz) de tomates fraîches ou
400 g (14 oz) de tomates en boîte,
hachées
1 gousse d'ail hachée
4 cuillerées à soupe d'eau
Sel et poivre noir fraîchement moulu

1 Préparez la frittata : cassez les œufs dans un saladier et battez-les à la fourchette. Incorporez les aromates et le parmesan, salez et poivrez. Chauffez l'huile dans une grande poêle, jusqu'à ce qu'elle soit chaude mais ne fume pas.

2 ▲ Versez le mélange à base d'œufs et faites-le cuire sans remuer, jusqu'à ce que la frittata soit boursouflée.

3 Posez une grande assiette à l'envers sur la frittata et retournez la poêle en tenant fermement l'assiette. Faites glisser la frittata ainsi retournée dans la poêle et poursuivez la cuisson pendant 3 à 4 minutes. Retirez du feu et laissez refroidir complètement.

4 ▲ Préparez la sauce tomate : chauffez l'huile dans une casserole de taille moyenne et faites revenir l'oignon à feu doux. Ajoutez les tomates, l'ail et l'eau, puis salez et poivrez. Couvrez et faites cuire 15 minutes environ à feu moyen, jusqu'à ce que les tomates soient ramollies.

5 Retirez du feu et laissez refroidir légèrement avant de passer la sauce au presse-purée ou à la passoire. Laissez refroidir complètement.

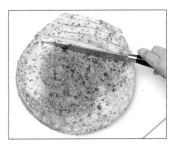

6 ▲ Coupez ensuite la frittata en fines lamelles. Mettez-les dans un plat de service et mélangez-les délicatement à la sauce. Servez la salade bien fraîche ou à température ambiante.

145

ŒUFS À LA TOMATE

Uova al piatto con pomodori

Ces œufs cuits au four sur un lit de sauce tomate fraîche font un délicieux dîner léger. Comptez un œuf ou deux par personne.

POUR 3 À 6 PERSONNES

INGRÉDIENTS

4 cuillerées à soupe d'huile d'olive
1 petit oignon finement haché
450 g (1 lb) de tomates, pelées,
*   égrenées*
*   et hachées*
2 cuillerées à soupe de basilic frais haché
6 œufs
Sel et poivre noir fraîchement moulu
15 g (1/2 oz) de beurre

1 ▲ Chauffez l'huile dans un plat peu profond. Ajoutez l'oignon et faites-le revenir, jusqu'à ce qu'il soit tendre et doré.

2 ▲ Préchauffez le four à 190 °C (375°F). Ajoutez les tomates aux oignons et faites cuire 5 à 10 minutes, jusqu'à ce que les tomates fondent. Ajoutez le basilic haché.

VARIANTE

Saupoudrez les œufs de 2 à 3 cuillerées à soupe de parmesan râpé avant de les enfourner, et vous aurez un plat plus parfumé, mais aussi plus consistant.

3 ▲ Cassez les œufs un par un et glissez-les dans le plat en une seule couche de façon à recouvrir les tomates. Salez, poivrez et parsemez de noisettes de beurre. Couvrez et faites cuire au four 7 à 10 minutes, jusqu'à ce que les blancs d'œufs aient pris. Les jaunes doivent être encore liquides. Servez immédiatement.

ŒUFS AU FROMAGE

Uova al piatto alla parmigiana

Ajouter du parmesan transforme de simples œufs au plat en un mets de choix.

POUR 3 À 6 PERSONNES

INGRÉDIENTS

25 g (1 oz) de beurre
6 œufs
Sel et poivre noir fraîchement moulu
35 g (1 1/2 oz) de jambon cuit coupé
*   en fins bâtonnets*
6 cuillerées à soupe de parmesan frais
*   râpé*
3 à 4 feuilles de basilic frais, pour garnir
Tranches de pain frais croustillant, pour
*   servir*

1 Préchauffez le four à 200 °C (400°F). Beurrez un plat à four ou plusieurs petits plats individuels.

2 ▲ Cassez les œufs dans le plat. Salez et poivrez. Parsemez les blancs d'œufs de jambon, puis saupoudrez le tout de parmesan râpé.

3 ▲ Parsemez de noisettes de beurre, couvrez et enfournez pendant 7 à 10 minutes, jusqu'à ce que les blancs aient pris et que le fromage ait fondu. Garnissez de basilic et servez avec du pain chaud.

FONDUTA AUX LÉGUMES

Fonduta con verdure

La fonduta est une sauce au fromage très crémeuse de la région montagneuse du Val d'Aoste. Elle est traditionnellement garnie de truffe blanche émincée et dégustée avec des tartines de pain grillé.

POUR 4 PERSONNES

INGRÉDIENTS
Légumes variés, par exemple fenouil,
  brocolis, carottes, chou-fleur et courgettes
115 g (4 oz) de beurre
12 à 16 tranches de pain type baguette
POUR LA FONDUTA
300 g (11 oz) de fontine
1 cuillerée à soupe de farine
Lait
50 g (2 oz) de beurre
50 g (2 oz) de parmesan frais râpé
1 pincée de muscade râpée
Sel et poivre noir fraîchement moulu
2 jaunes d'œufs à température ambiante
Un peu de truffe blanche (facultatif)

1 ▲ Six heures environ avant de servir la fonduta, coupez la fontine en morceaux et mettez-la dans un saladier. Saupoudrez-la de farine et couvrez-la à peine de lait. Gardez-la ensuite dans un endroit frais. Si vous la mettez au réfrigérateur, sortez-la au moins 1 heure avant de la faire cuire.

2 Juste avant de préparer la fontine, faites cuire les légumes à la vapeur. Coupez-les en morceaux. Parsemez-les de noisettes de beurre et gardez-les au chaud.

3 Beurrez le pain et faites-le légèrement griller au four ou sous le gril.

4 ▲ Préparez la fonduta : faites fondre le beurre au bain-marie dans un saladier. Égouttez la fontine et ajoutez-la au beurre, avec 3 à 4 cuillerées à soupe du lait dans lequel elle a trempé. Faites cuire en remuant jusqu'à ce que le fromage fonde. Lorsqu'il est chaud et qu'il forme une masse homogène, ajoutez le parmesan et remuez bien jusqu'à ce que ce dernier ait fondu. Assaisonnez avec la muscade, salez et poivrez.

5 ▲ Retirez du feu et ajoutez immédiatement les jaunes d'œufs battus et filtrés dans une passoire. Versez la fonduta dans de petits bols individuels, garnissez de truffe blanche émincée si vous en avez et servez avec les légumes et le pain grillé.

MOZZARELLE FRITE

Mozzarella fritta

Cette recette napolitaine est parfaite pour un déjeuner à la bonne franquette. Un seul inconvénient : elle se prépare au dernier moment.

POUR 2 À 3 PERSONNES

INGRÉDIENTS
300 g (11 oz) de mozzarelle
Huile de friture
2 œufs
Farine assaisonnée de sel et de poivre
    fraîchement moulu
Chapelure

1 ▲ Coupez la mozzarelle en tranches de 1 cm (¹/2 po) d'épaisseur environ et tamponnez-les avec une feuille de papier absorbant.

2 ▲ Chauffez l'huile jusqu'à ce qu'un petit morceau de pain grésille dès qu'on l'y jette. Pendant que l'huile chauffe, battez les œufs dans un plat peu profond. Mettez de la farine dans une assiette et de la chapelure dans une autre.

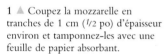

3 ▲ Farinez régulièrement les tranches de fromage, en les secouant pour éliminer l'excédent de farine. Trempez-les ensuite dans les œufs battus, puis dans la chapelure. Trempez-les une seconde fois dans les œufs, puis dans la chapelure.

4 ▲ Faites frire immédiatement le fromage dans l'huile chaude, jusqu'à ce qu'il soit bien doré. Égouttez rapidement les tranches cuites sur une feuille de papier absorbant et servez bien chaud.

TARTINES DE FROMAGE GRILLÉES

Panini alla griglia

De l'ail, des aromates et des tomates : tous les ingrédients de cette recette sont typiquement méditerranéens.

POUR 4 PERSONNES

INGRÉDIENTS
3 cuillerées à soupe d'huile d'olive
4 ou 5 tomates en conserve, finement hachées
Quelques feuilles de basilic frais ciselées
4 à 6 tranches de pain croustillant
1 gousse d'ail pelée et coupée en deux
75 g (3 oz) de fromage (scamorza ou mozzarelle)

1 Chauffez l'huile dans une petite poêle. Ajoutez les tomates et le basilic, salez et poivrez. Faites cuire à feu doux pendant 8 à 10 minutes, jusqu'à ce que le liquide se soit évaporé. Préchauffez le gril.

2 ▲ Faites légèrement griller le pain. Lorsqu'il a refroidi, frottez un côté avec l'ail.

3 ▲ Étalez un peu de sauce tomate sur chaque tartine, et couvrez-la d'une tranche de fromage. Mettez les tartines sous le gril 5 à 8 minutes environ, jusqu'à ce que le fromage fonde et commence à cloquer. Servez très chaud.

TOMATES À LA MOZZARELLE

Insalata caprese

Cette délicieuse salade d'une simplicité enfantine revêt en Italie un caractère un peu patriotique car ses trois couleurs sont celles du drapeau national.

POUR 4 PERSONNES

INGRÉDIENTS
4 grosses tomates
400 g (14 oz) de mozzarelle
8 à 10 feuilles de basilic frais
4 cuillerées à soupe d'huile d'olive vierge extra
Sel et poivre noir fraîchement moulu

1 ▲ Coupez les tomates et la mozzarelle en rondelles assez épaisses.

2 ▲ Disposez les rondelles de fromage et de tomates sur un plat de service, en les faisant se chevaucher. Décorez avec le basilic.

3 ▲ Arrosez d'huile d'olive et salez légèrement. Servez avec le poivre noir proposé à part.

LE SAVIEZ-VOUS ?

En Italie, la mozzarelle la plus recherchée est celle que l'on fabrique avec du lait de bufflonne. On la trouve surtout dans le Sud et en Campanie.

150

Pizzas, Fougasses et Pains

Vous allez voir combien il est amusant de faire soi-même
ses pizzas et de les personnaliser avec ses ingrédients préférés.
Découvrez aussi les pains italiens et les gressins que l'on peut
agrémenter d'aromates et de graines et qui font de délicieux
accompagnements ou des en-cas inattendus.

LA PÂTE À PIZZA TRADITIONNELLE

C'est une pâte préparée avec de la levure de boulanger, que l'on fait généralement lever une seule fois avant de la rouler et de la garnir.

POUR 4 PERSONNES

INGRÉDIENTS

25 g (1 oz) de levure de boulanger
*   fraîche ou 15 g (¹/2 oz)*
*   de levure sèche*
250 ml (1 tasse) d'eau tiède
1 pincée de sucre
1 cuillerée à café de sel
350 à 400 g (12-14 oz) de farine, de
*   préférence avec poudre levante*
*   incorporée*

1 ▲ Préchauffez un saladier avec de l'eau chaude, puis videz-le. Mettez la levure dans le saladier et versez dessus l'eau tiède. Ajoutez le sucre, mélangez à la fourchette et laissez reposer 5 à 10 minutes, jusqu'à ce que la levure se soit dissoute et commence à mousser.

2 ▲ Incorporez le sel et environ un tiers de la farine. Ajoutez ensuite un deuxième tiers de farine en remuant bien de façon à obtenir une masse de pâte qui commence à se détacher de la paroi du saladier.

3 ▲ Farinez un plan de travail bien lisse et mettez-y la pâte. Commencez à la pétrir en incorporant petit à petit le reste de farine. Pétrissez pendant 8 à 10 minutes, jusqu'à ce que la pâte soit élastique et bien lisse. Formez une boule.

4 Huilez légèrement un saladier et mettez-y la boule de pâte. Couvrez avec un torchon humide bien essoré et laissez reposer 40 à 50 minutes, voire davantage suivant le type de levure utilisé, dans un endroit chaud, jusqu'à ce que la pâte ait doublé de volume. (Si vous ne disposez pas d'un endroit assez chaud, préchauffez le four à température moyenne 10 minutes avant de pétrir la pâte, puis éteignez-le et enfournez le saladier contenant la boule de pâte. Fermez la porte du four et laissez lever la pâte ainsi.) Pour savoir si la pâte a assez levé, plantez-y deux doigts. Si les trous

5 ▲ Donnez un coup de poing dans la pâte pour en chasser l'air, puis pétrissez-la 1 à 2 minutes.

6 Si vous désirez faire deux pizzas moyennes, divisez la pâte en deux boules. Si vous souhaitez faire quatre pizzas individuelles (moules de 26 cm (10 ¹/2 po) de diamètre), divisez la pâte en quatre. Étalez la boule de pâte sur un plan de travail légèrement fariné. Affinez-la au rouleau de façon à obtenir un disque de 5 à 7 mm d'épaisseur. Si vous la faites cuire dans un moule, formez un disque dont le diamètre est supérieur de 7 mm (¹/4 po) environ à celui du moule, pour les bords.

7 ▲ Mettez la pâte dans le moule en repliant les bords pour avoir une croûte plus épaisse sur les côtés. Si vous la faites cuire sans moule, formez une bordure un peu plus épaisse que le centre en tirant un peu de pâte vers l'extérieur, puis mettez le disque de pâte sur une plaque à pâtisserie légèrement huilée. Vous pouvez maintenant garnir la pâte.

LE CONSEIL DU CHEF

Vous pouvez utiliser cette pâte pour préparer la plupart des recettes que nous allons vous proposer dans ce livre, qu'il s'agisse de la fougasse, des gressins, du calzone ou de la pizza à la sicilienne. Vous pouvez également congeler la pâte à la fin de l'étape 7. Il ne vous restera alors plus qu'à la décongeler avant de la garnir.

PÂTE À PIZZA À LA FARINE COMPLÈTE

Il est possible de préparer une pâte à pizza avec de la farine complète, mais elle sera plus élastique et plus facile à manipuler si vous utilisez un peu de farine blanche. La pâte que nous vous proposons convient pour toutes les recettes nécessitant une pâte à pizza classique.

POUR 4 PERSONNES

INGRÉDIENTS
25 g (1 oz) de levure de boulanger
  fraîche ou 15 g de levure sèche
250 ml (1 tasse) d'eau tiède
1 pincée de sucre
2 cuillerées à soupe d'huile d'olive
1 cuillerée à café de sel
150 g (5 oz) de farine blanche sans
  poudre levante
250 g (9 oz) de farine complète meulée
  à la pierre

1 Préchauffez un saladier de taille moyenne avec de l'eau chaude. Égouttez-le puis mettez-y la levure et versez dessus l'eau tiède. Ajoutez le sucre, mélangez à la fourchette et laissez reposer 5 à 10 minutes, jusqu'à ce que la levure se soit dissoute et commence à mousser.

2 Ajoutez l'huile d'olive, le sel et la farine blanche et mélangez avec une cuillère en bois. Incorporez environ la moitié de la farine complète en remuant bien, jusqu'à ce que la pâte forme une masse et commence à se détacher de la paroi du saladier.

3 Suivez les étapes 3 à 7 de la recette de la pâte à pizza traditionnelle. Une fois la pâte levée, abaissez-la et pétrissez-la jusqu'à ce qu'elle soit prête à être étalée au rouleau et à garnir un moule.

POUR FAIRE LA PÂTE AVEC UN ROBOT MÉNAGER

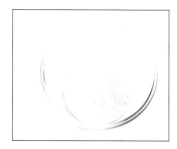

1 Préparez tous les ingrédients et mesurez les quantités dont vous avez besoin. Dans un bol, mélangez la levure et l'eau tiède. Ajoutez le sucre et laissez reposer 5 à 10 minutes, jusqu'à ce que la levure se soit dissoute et commence à mousser.

2 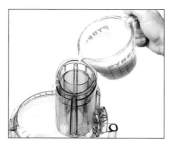 Installez les lames sur le robot. Mettez le sel et les trois quarts de la farine dans le bac du robot. Mettez-le en route et versez la levure et l'huile par l'ouverture située sur le dessus de l'appareil. Continuez à mixer, jusqu'à ce que la pâte forme une ou deux boules. Arrêtez alors l'appareil, ouvrez-le et touchez la pâte. Si elle colle encore, ajoutez un peu de farine et remettez le robot en marche, jusqu'à ce qu'elle soit incorporée.

3 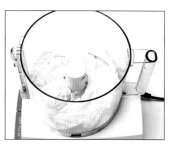 Sortez la pâte du bac. Pétrissez-la 2 à 3 minutes sur un plan de travail fariné. Formez une boule, puis passez à l'étape 4 de la recette de la pâte à pizza traditionnelle.

Pizza à la tomate et au fromage *Pizza alla Margherita*

Cette pizza très populaire doit son nom à une reine italienne du XIXe siècle.

Pour 4 Personnes

Ingrédients

*450 g (1 lb) de tomates pelées, fraîches
ou en conserve, sans leur jus
1 pâte à pizza traditionnelle étalée au
rouleau
350 g (12 oz) de mozzarelle coupée en
petits dés
10 à 12 feuilles de basilic frais ciselées
4 cuillerées à soupe de parmesan frais
râpé (facultatif)
Sel et poivre noir fraîchement moulu
3 cuillerées à soupe d'huile d'olive*

1 Préchauffez le four à 250 °C
(475°F) au moins 20 minutes avant
d'enfourner la pizza. Mettez les
tomates sur la grille moyenne d'un
presse-purée, le tout au-dessus d'un
saladier, et frottez pour récupérer
toute la pulpe.

2 ▲ Étalez la purée de tomates sur
la pâte à pizza sans en recouvrir le
bord.

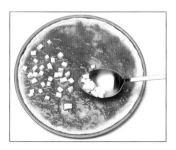

3 ▲ Parsemez la tomate de dés de
mozzarelle et de basilic. Saupoudrez
éventuellement de parmesan, salez,
poivrez et arrosez d'un filet d'huile
d'olive. Enfournez immédiatement la
pizza et faites-la cuire 15 à 20 minutes,
jusqu'à ce que la croûte soit bien
dorée et les fromages fondus.

Pizza aux anchois *Pizza alla napoletana*

Voici ce que l'on vous servira dans toute l'Italie si vous demandez une pizza napolitaine… sauf à Naples !

Pour 4 Personnes

Ingrédients

*450 g (1 lb) de tomates pelées, fraîches
ou en boîte, sans leur jus
1 pâte à pizza traditionnelle
40 g (1 1/2 oz) de filets d'anchois à
l'huile, égouttés et coupés en
morceaux
350 g (12 oz) de mozzarelle, coupée
en petits dés
1 cuillerée à café d'origan frais ou séché
Sel et poivre noir fraîchement moulu
3 cuillerées à soupe d'huile d'olive*

1 Préchauffez le four à 250 °C
(475°F) au moins 20 minutes avant
d'enfourner la pizza. Mettez les
tomates sur la grille moyenne d'un
presse-purée, le tout au-dessus d'un
saladier, et frottez pour récupérer
toute la pulpe.

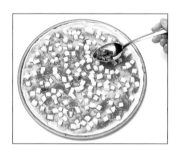

2 ▲ Étalez la purée de tomates sur
la pâte à pizza sans en recouvrir
le bord. Parsemez de morceaux
d'anchois et de dés de mozzarelle.

3 ▲ Saupoudrez d'origan, salez,
poivrez et arrosez d'un filet d'huile
d'olive. Enfournez immédiatement
la pizza et faites-la cuire 15 à
20 minutes, jusqu'à ce que la croûte
soit dorée et le fromage fondu.

PIZZA DES QUATRE SAISONS

Pizza quattro stagioni

La garniture de cette pizza est divisée en quatre quarts, un pour chaque saison. Vous pouvez remplacer certains ingrédients par d'autres si vous le souhaitez.

POUR 4 PERSONNES

INGRÉDIENTS

450 g (1 lb) de tomates pelées, fraîches ou en boîte, sans leur jus
5 cuillerées à soupe d'huile d'olive
115 g (4 oz) de champignons finement émincés
1 gousse d'ail finement hachée
1 pâte à pizza traditionnelle
350 g (12 oz) de mozzarelle coupée en petits dés
4 fines tranches de jambon cuit coupées en carrés de 5 cm (2 po) de côté
32 olives noires dénoyautées et coupées en deux
8 cœurs d'artichauts à l'huile, égouttés et coupés en deux
1 cuillerée à café d'origan séché ou frais
Sel et poivre noir fraîchement moulu

1 ▲ Préchauffez le four à 250 °C (475°F) au moins 20 minutes avant d'enfourner la pizza. Mettez les tomates sur la grille moyenne d'un presse-purée, le tout au-dessus d'un saladier, et frottez pour récupérer toute la pulpe.

2 Chauffez 2 cuillerées à soupe d'huile d'olive et faites légèrement sauter les champignons. Ajoutez l'ail, puis réservez.

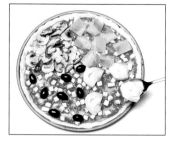

3 ▲ Étalez la purée de tomates sur la pâte à pizza sans en recouvrir le bord. Parsemez régulièrement de mozzarelle, puis étalez les champignons sur un quart de la pizza.

4 ▲ Disposez le jambon sur un autre quart, les olives sur un troisième et les cœurs d'artichaut sur le dernier. Saupoudrez d'origan, salez, poivrez et arrosez d'un filet d'huile d'olive. Enfournez immédiatement et faites cuire la pizza 15 à 20 minutes, jusqu'à ce que la croûte soit dorée et le fromage fondu.

PIZZA AUX LÉGUMES VERTS

Pizza all'ortolana

Vous pouvez garnir cette pizza de n'importe quel légume frais. Il est généralement préférable de les faire blanchir ou sauter avant de les disposer sur la pizza.

POUR 4 PERSONNES

INGRÉDIENTS
400 g (14 oz) de tomates pelées,
*   fraîches ou en boîte, sans leur jus*
2 pointes de brocolis
225 g (8 oz) d'asperges
2 petites courgettes
5 cuillerées à soupe d'huile d'olive
50 g (2 oz) de petits pois écossés, frais
*   ou surgelés*
4 oignons nouveaux émincés
1 pâte à pizza traditionnelle
75 g (3 oz) de mozzarelle, coupée en
*   petits dés*
10 feuilles de basilic frais ciselées
2 gousses d'ail finement hachées
Sel et poivre noir fraîchement moulu

1 Préchauffez le four à 250 °C (475°F) au moins 20 minutes avant d'enfourner la pizza. Mettez les tomates sur la grille moyenne d'un presse-purée, le tout au-dessus d'un saladier, et frottez pour récupérer toute la pulpe.

2 ▲ Pelez les tiges de brocolis et d'asperges et faites-les blanchir avec les courgettes pendant 4 à 5 minutes. Égouttez-les et coupez-les en petits morceaux.

3 Chauffez 2 cuillerées à soupe d'huile d'olive dans une petite poêle. Jetez-y les pois et les oignons nouveaux et faites-les revenir 5 à 6 minutes en remuant souvent. Retirez du feu.

4 ▲ Étalez la purée de tomates sur la pâte à pizza sans en recouvrir le bord. Ajoutez les autres légumes, en les répartissant régulièrement sur les tomates.

5 ▲ Parsemez le tout de dés de mozzarelle, de basilic et d'ail, salez et poivrez puis arrosez d'un filet d'huile d'olive. Enfournez immédiatement la pizza et faites-la cuire 20 minutes.

Pizza à la chair à saucisse

Pizza con salsicce

Pour cette garniture, choisissez la chair à saucisse la moins grasse possible.

Pour 4 Personnes

Ingrédients
450 g (1 lb) de tomates pelées, fraîches
* ou en boîte, sans leur jus*
1 pâte à pizza traditionnelle
350 g (12 oz) de mozzarelle coupée en
* petits dés*
225 g (8 oz) de chair à saucisse émiettée
1 cuillerée à café d'origan frais ou séché
Sel et poivre noir fraîchement moulu
3 cuillerées à soupe d'huile d'olive

1 Préchauffez le four à 250 °C
(475°F) au moins 20 minutes avant
d'enfourner la pizza. Mettez les
tomates sur la grille moyenne d'un
presse-purée, le tout au-dessus d'un
saladier, et frottez pour récupérer
toute la pulpe.

2 ▲ Étalez la purée de tomates sur
la pâte à pizza sans en recouvrir le
bord. Parsemez de dés de mozzarelle,
puis ajoutez la chair à saucisse.

3 ▲ Saupoudrez d'origan, salez,
poivrez et arrosez d'un filet d'huile
d'olive. Enfournez immédiatement la
pizza et faites-la cuire 15 à 20 minutes,
jusqu'à ce que la croûte soit dorée et
le fromage fondu.

Pizza aux quatre fromages

Pizza con quattro formaggi

Vous pouvez choisir n'importe quelle combinaison de fromages, dans la mesure où ils sont tous très différents.

Pour 4 Personnes

Ingrédients
1 pâte à pizza traditionnelle
75 g (3 oz) de gorgonzola ou d'un autre
* bleu, coupé en tranches très fines*
75 g (3 oz) de mozzarelle coupée en
* petits dés*
75 g (3 oz) de fromage de chèvre coupé
* en tranches fines*
75 g (3 oz) de comté ou de gruyère
* grossièrement râpé*
4 feuilles de sauge fraîche ciselées ou
* 3 cuillerées à soupe de persil frais*
* haché*
Sel et poivre noir fraîchement moulu
3 cuillerées à soupe d'huile d'olive

1 Préchauffez le four à 250 °C
(475°F) au moins 20 minutes avant
d'enfourner la pizza. Disposez le
gorgonzola sur un quart de la pizza
et la mozzarelle sur un autre, sans
recouvrir le bord.

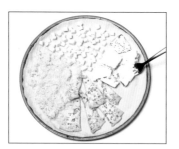

2 ▲ Disposez le fromage de chèvre
et le comté sur les deux quarts
restants.

Variante

Vous pouvez également garnir
un quart de la pizza avec
75 g (3 oz) de fromage fumé coupé
en tranches fines.

3 ▲ Saupoudrez d'aromates, salez et
poivrez et arrosez d'un filet d'huile
d'olive. Enfournez immédiatement
la pizza et faites-la cuire 15 à
20 minutes, jusqu'à ce que la croûte
soit dorée et le fromage fondu.

PIZZA MÉDITERRANÉENNE
Pizza mediterranea

Cette garniture assez peu conventionnelle associe pourtant des ingrédients typiquement méditerranéens.

POUR 4 PERSONNES

INGRÉDIENTS
*12 tomates séchées au soleil, sèches ou
à l'huile, et dans ce cas égouttées
350 g (12 oz) de fromage de chèvre
coupé en tranches aussi fines que
possible
1 pâte à pizza traditionnelle
2 cuillerées à soupe de câpres conservées
dans la saumure ou au sel, rincées
10 feuilles de basilic frais
Sel et poivre noir fraîchement moulu
4 cuillerées à soupe d'huile d'olive*

1 Préchauffez le four à 250 °C
(475°F) au moins 20 minutes avant
d'enfourner la pizza. Mettez les
tomates dans un bol, couvrez-les
d'eau bouillante et laissez-les tremper
15 minutes. Égouttez-les et coupez-
les en tranches fines.

2 ▲ Disposez le fromage sur la pâte
à pizza, sans en recouvrir le bord.
Parsemez de tranches de tomate.

3 ▲ Parsemez ensuite de câpres et
de basilic. Laissez lever une dizaine
de minutes avant d'enfourner.

4 Salez, poivrez et arrosez d'un filet
d'huile d'olive. Enfournez la pizza et
faites-la cuire 15 à 20 minutes,
jusqu'à ce que la croûte soit bien
dorée.

PIZZA AUX OIGNONS ET AUX OLIVES
Pizza con cipolle e olive

*Les oignons que l'on a fait cuire doucement pour faire ressortir leur douceur contrastent agréablement avec
l'amertume salée des olives.*

POUR 4 PERSONNES

INGRÉDIENTS
*6 cuillerées à soupe d'huile d'olive
4 oignons moyens finement émincés
Sel et poivre noir fraîchement moulu
1 pâte à pizza traditionnelle
350 g (12 oz) de mozzarelle coupée
en dés
32 olives noires coupées en deux
3 cuillerées à soupe de persil frais haché*

1 Préchauffez le four à 250 °C
(475°F) au moins 20 minutes avant
d'enfourner la pizza. Chauffez la
moitié de l'huile dans une grande
poêle. Faites-y revenir les oignons à
feu doux pendant 12 à 15 minutes
environ, jusqu'à ce qu'ils soient
tendres, translucides et qu'ils
commencent à roussir. Salez, poivrez
et retirez du feu.

2 ▲ Étalez les oignons sur la pâte à
pizza en une couche régulière, sans
en recouvrir le bord. Parsemez de
dés de mozzarelle.

3 ▲ Ajoutez les olives, saupoudrez
de persil et arrosez d'un filet d'huile
d'olive. Enfournez immédiatement la
pizza et faites-la cuire 15 à 20 minutes,
jusqu'à ce que la croûte soit dorée et
le fromage fondu.

PIZZA AUX FRUITS DE MER   *Pizza con frutti di mare*

. . . .

Vous pouvez utiliser n'importe quel coquillage ou fruit de mer pour garnir cette pizza.

POUR 4 PERSONNES

INGRÉDIENTS

450 g (1 lb) de tomates pelées, fraîches
  ou en boîte, sans leur jus
175 g (6 oz) de petits calamars
225 g (8 oz) de moules fraîches
1 pâte à pizza traditionnelle
175 g (6 oz) de crevettes, cuites ou
  crues, décortiquées
3 cuillerées à soupe de persil frais haché
2 gousses d'ail finement hachées
Sel et poivre noir fraîchement moulu
3 cuillerées à soupe d'huile d'olive

1 ▲ Préchauffez le four à 250 °C
(475°F) au moins 20 minutes avant
d'enfourner la pizza. Mettez les
tomates sur la grille moyenne d'un
presse-purée, le tout au-dessus d'un
saladier, et frottez pour récupérer
toute la pulpe.

2 ▲ Près de l'évier, nettoyez les
calamars en commençant par retirer
la fine peau qui recouvre leur corps.
Rincez-les bien, puis séparez la tête
et les tentacules de la partie en forme
de poche.

3 ▲ Retirez et jetez les arêtes
translucides ainsi que tout ce que
contient la poche. Coupez les
tentacules, jetez la tête et les
intestins. Retirez le petit bec dur qui
se trouve à la base des tentacules,
puis rincez la poche et les tentacules
sous le robinet d'eau froide.
Égouttez-les, puis coupez les poches
en anneaux de 5 mm (1/4 po)
d'épaisseur.

4 ▲ Raclez les moules, rincez-les
bien dans plusieurs bains d'eau froide
et ébarbez-les. Mettez les moules
dans une casserole et chauffez-les
jusqu'à ce qu'elles s'ouvrent. Retirez-
les de la casserole avec une spatule
ajourée (jetez celles qui ne s'ouvrent
pas) et réservez-les. Détachez les
demi-coquilles vides et jetez-les.

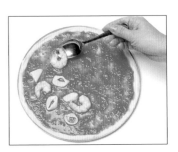

5 ▲ Étalez la purée de tomates sur la
pâte à pizza sans en recouvrir le
bord. Disposez de façon régulière les
crevettes et les anneaux et tentacules
de calamars. Parsemez d'ail et de
persil, salez, poivrez et arrosez d'un
filet d'huile d'olive. Enfournez
immédiatement la pizza et faites-la
cuire 8 minutes environ.

6 ▲ Sortez-la du four, ajoutez les
moules dans leurs demi-coquilles.
Remettez ensuite la pizza au four et
laissez-la 7 à 10 minutes de plus,
jusqu'à ce que la croûte soit bien
dorée.

VARIANTE

Vous pouvez ajouter à cette garniture
des palourdes fraîches : frottez-les bien
sous le robinet d'eau froide. Mettez-les
ensuite dans une casserole et chauffez-
les jusqu'à ce qu'elles s'ouvrent. Retirez-
les (jetez celles qui ne s'ouvrent pas)
et réservez. Détachez les demi-coquilles
vides et jetez-les. Ajoutez à
la pizza au bout de 8 minutes de cuisson.

PIZZA AUX HERBES *Pizza in bianco con erbe aromatiche*

Cette garniture toute simple composée d'aromates frais, d'huile d'olive et de sel fait une excellente pizza qui peut également faire office de pain. En Italie, on la sert souvent comme amuse-gueule dans les pizzerias.

POUR 4 PERSONNES

INGRÉDIENTS
1 pâte à pizza traditionnelle
4 cuillerées à soupe d'aromates frais
    variés, hachés (thym, romarin, persil,
    basilic, sauge, etc.)
Sel
6 cuillerées à soupe d'huile d'olive

1 ▲ Préchauffez le four à 250 °C au moins 20 minutes avant d'enfourner la pizza. Couvrez la pâte d'aromates et salez.

2 ▲ Arrosez d'un filet d'huile d'olive. Enfournez immédiatement la pizza et faites-la cuire 20 minutes environ, jusqu'à ce que la croûte soit bien dorée.

PIZZA FERMÉE À LA SICILIENNE *Sfinciuni*

Il existe des versions ouvertes et des versions fermées, farcies avec n'importe quelle garniture de pizza.

POUR 4 À 6 PERSONNES

INGRÉDIENTS
1 pâte à pizza levée une fois
Huile d'olive
2 cuillerées à soupe de farine de maïs
    grossièrement meulée
3 œufs durs écalés et coupés en tranches
50 g (2 oz) de filets d'anchois égouttés
    et hachés
12 olives dénoyautées
8 feuilles de basilic frais ciselées
6 tomates moyennes, pelées, égrenées
    et coupées en dés
2 gousses d'ail finement hachées
Poivre noir fraîchement moulu
175 g (6 oz) de caciocavallo ou de
    pecorino râpé

1 Préchauffez le four à 230 °C (450°F). Abaissez la pâte et pétrissez-la légèrement pendant 3 à 4 minutes. Divisez-la en deux parties, l'une un peu plus grosse que l'autre. Huilez légèrement un moule à pizza de 38 cm de diamètre. Saupoudrez-le de farine de maïs. Étalez la grosse moitié de pâte à la main ou au rouleau de façon à obtenir un disque légèrement plus grand que le moule.

2 ▲ Garnissez-en le moule en laissant dépasser les bords. Garnissez la pizza en disposant les tranches d'œuf dur, les morceaux d'anchois, les olives et le basilic, sans recouvrir les bords.

3 Étalez les tomates coupées en dés sur les autres ingrédients. Répartissez l'ail, poivrez, puis recouvrez de fromage râpé.

4 ▲ Étalez la seconde moitié de pâte à la main ou au rouleau de façon à obtenir un disque du même diamètre que le moule. Mettez-le par-dessus la garniture. Rabattez l'excédent de pâte sur le bord du disque supérieur et soudez-le en appuyant avec les doigts.

5 Badigeonnez la pâte d'huile d'olive et faites cuire la pizza 30 à 40 minutes, jusqu'à ce que le dessus soit bien doré. Laissez-la ensuite reposer 5 à 8 minutes avant de la découper et de la servir.

CALZONE

Calzone

Un calzone est une pizza en forme de chausson. Il peut être gros ou petit, et farci avec n'importe quelle garniture pour pizza. On le mange chaud ou froid.

POUR 4 PERSONNES

INGRÉDIENTS

1 pâte à pizza levée une fois
350 g (12 oz) de ricotta
175 g (6 oz) de jambon cuit coupé
    en petits dés
6 tomates moyennes, pelées, égrenées
    et coupées en dés
8 feuilles de basilic frais ciselées
175 g (6 oz) de mozzarelle coupée
    en petits dés
4 cuillerées à soupe de parmesan frais râpé
Sel et poivre noir fraîchement moulu
Huile d'olive, pour badigeonner le
    chausson

3 ▲ Mélangez tous les ingrédients de la garniture dans un saladier. Salez et poivrez.

5 ▲ Repliez la seconde moitié du disque sur la première, et appuyez sur les bords pour les souder.

1 ▲ Préchauffez le four à 250 °C (475°F) au moins 20 minutes avant d'enfourner la pizza. Abaissez la pâte et pétrissez-la légèrement. Divisez-la en quatre boules.

4 ▲ Répartissez la garniture sur une moitié de chacun des quatre disques de pâte, en laissant une marge de 2 cm (1 po) tout autour.

6 ▲ Mettez les chaussons sur une plaque à pâtisserie légèrement huilée. Badigeonnez légèrement le dessus d'huile d'olive et faites cuire dans le four préchauffé pendant 15 à 20 minutes, jusqu'à ce que la pâte soit dorée et boursouflée.

2 ▲ Étalez chaque boule de pâte au rouleau de façon à obtenir quatre disques plats de 5 mm (¹/4 po) d'épaisseur.

LE SAVIEZ-VOUS ?

Calzone signifie « jambe de pantalon » en italien. Si cette spécialité de Naples s'appelle ainsi, c'est parce qu'elle rappelle les culottes bouffantes que portaient les Napolitains aux XVIIIᵉ et XIXᵉ siècles. De nos jours, les calzones sont généralement arrondis mais, à l'origine, il s'agissait de morceaux de pâte rectangulaires repliés sur une longue garniture centrale.

FOUGASSE ITALIENNE

Focaccia

La fougasse est une forme ancienne de pain que l'on badigeonne d'huile avant de la faire cuire.

POUR 6 À 8 PERSONNES
EN ACCOMPAGNEMENT

INGRÉDIENTS
1 pâte à pizza levée une fois
3 cuillerées à soupe d'huile d'olive
Gros sel de mer

1 ▲ Après avoir abaissé la pâte, pétrissez-la pendant 3 à 4 minutes. Badigeonnez un grand moule avec une cuillerée à soupe d'huile.

2 ▲ Garnissez le moule avec une couche de pâte de 2 cm (1 po) d'épaisseur. Couvrez-la avec un torchon et laissez-la lever pendant 30 minutes. Préchauffez le four à 200 °C (400°F).

LE CONSEIL DU CHEF

Pour congeler une fougasse, laissez-la refroidir à température ambiante après la cuisson. Enveloppez-la dans une feuille de papier aluminium et mettez-la au congélateur. Laissez ensuite décongeler doucement et passez au four avant de servir.

3 ▲ Juste avant de l'enfourner, pratiquez avec le doigt des rangées d'impressions en creux sur toute la surface de la fougasse.

4 ▲ Badigeonnez avec le reste d'huile et saupoudrez légèrement de gros sel. Faites cuire 25 minutes environ, jusqu'à ce que la fougasse soit dorée. Découpez-la et servez-la chaude ou à température ambiante, seule ou en accompagnement d'un repas.

FOUGASSE AUX OIGNONS

Focaccia con cipolle

Couverte d'oignons sautés, cette fougasse fait d'excellents amuse-gueules. Vous pouvez également la fendre au milieu et la garnir de jambon ou de fromage pour faire un sandwich original.

POUR 6 À 8 PERSONNES
EN ACCOMPAGNEMENT

INGRÉDIENTS
1 pâte à pizza levée une seule fois
5 cuillerées à soupe d'huile d'olive
1 oignon émincé très finement
1/2 cuillerée à café de thym frais
Gros sel de mer

3 ▲ Juste avant de l'enfourner, pratiquez avec le doigt des rangées d'impressions en creux sur toute la surface de la fougasse. Badigeonnez avec le reste d'huile d'olive.

4 ▲ Étalez les oignons régulièrement sur la pâte et saupoudrez légèrement de gros sel. Faites cuire 25 minutes environ, jusqu'à ce que la fougasse soit bien dorée. Découpez-la puis servez chaude ou à température ambiante, seule ou en accompagnement d'un repas.

1 ▲ Après avoir abaissé la pâte, pétrissez-la 3 à 4 minutes. Badigeonnez un grand moule peu profond avec 1 cuillerée à soupe d'huile. Garnissez le moule avec une couche de pâte régulière de 2 cm d'épaisseur. Couvrez-la avec un torchon et laissez-la lever dans un endroit chaud pendant 30 minutes. Préchauffez le four à 200 °C (400°F).

2 ▲ Pendant que la fougasse lève, chauffez 2 cuillerées à soupe d'huile dans une poêle moyenne et faites dorer l'oignon à feu doux. Ajoutez le thym.

FOUGASSE AUX OLIVES

Focaccia con olive

Dans cette version, on garnit la pâte de demi-olives vertes dénoyautées avant de la faire cuire.

POUR 6 À 8 PERSONNES
EN ACCOMPAGNEMENT

INGRÉDIENTS
1 pâte à pizza levée une fois
3 cuillerées à soupe d'huile d'olive
10 à 12 grosses olives vertes
Gros sel de mer

1 Après avoir abaissé la pâte, pétrissez-la pendant 3 à 4 minutes. Badigeonnez un grand moule peu profond avec une cuillerée à soupe d'huile. Garnissez le moule avec une couche de pâte régulière de 2 cm d'épaisseur. Couvrez-la avec un torchon et laissez-la lever dans un endroit chaud pendant 30 minutes. Préchauffez le four à 200 °C (400°F).

2 ▲ Juste avant de l'enfourner, pratiquez avec le doigt des rangées d'impressions en creux sur toute la surface de la fougasse. Badigeonnez-la avec le reste d'huile.

3 ▲ Répartissez régulièrement les olives coupées en deux sur la pâte et saupoudrez légèrement de gros sel. Faites cuire 25 minutes, jusqu'à ce que la fougasse soit dorée. Découpez-la et servez-la chaude ou à température ambiante.

FOUGASSE AU ROMARIN

Focaccia con rosmarino

L'un des pains les plus populaires en Italie. Utilisez si possible du romarin frais pour cette recette.

POUR 6 À 8 PERSON,NES
EN ACCOMPAGNEMENT

INGRÉDIENTS
1 pâte à pizza levée une fois
3 cuillerées à soupe d'huile d'olive
2 brins de romarin frais (les feuilles
seulement)
Gros sel de mer

1 ▲ Après avoir abaissé la pâte, pétrissez-la pendant 3 à 4 minutes. Badigeonnez un grand moule peu profond avec une cuillerée à soupe d'huile. Garnissez le moule avec une couche de pâte de 2 cm (1 po) d'épaisseur.

2 ▲ Parsemez la pâte de feuilles de romarin. Couvrez-la avec un torchon et laissez-la lever dans un endroit chaud pendant 30 minutes. Pendant ce temps, préchauffez le four à 200 °C (400°F).

3 ▲ Juste avant de l'enfourner, pratiquez avec le doigt des rangées d'impressions en creux sur toute la surface de la fougasse. Badigeonnez avec le reste d'huile et saupoudrez légèrement de gros sel. Faites cuire 25 minutes environ, jusqu'à ce que la pâte soit dorée. Découpez-la et servez-la chaude ou à température ambiante, seule ou en accompagnement d'un repas.

GRESSINS

Grissini

*Ces fines baguettes typiquement italiennes ne sont jamais aussi bonnes que lorsqu'elles sont faites
à la main. On en vend encore dans les boulangeries de Turin et du Nord de l'Italie.*

POUR UNE TRENTAINE DE GRESSINS

INGRÉDIENTS

15 g (*1/2 oz*) de levure de boulanger
   fraîche ou 7 g (*1/4 oz*) de levure
   sèche
100 ml (*1/2 tasse*) d'eau tiède
1 pincée de sucre
2 cuillerées à café d'extrait de malt
1 cuillerée à café de sel
200 à 225 g (*7-8 oz*) de farine sans
   poudre levante

1 ▲ Préchauffez un saladier avec de
l'eau bouillante, puis égouttez-le.
Mettez-y la levure et versez dessus
l'eau tiède. Ajoutez le sucre,
mélangez à la fourchette et laissez
reposer 5 à 10 minutes, jusqu'à ce
que la levure soit dissoute et
commence à mousser.

2 ▲ Ajoutez l'extrait de malt, le sel et
un tiers de la farine et mélangez avec
une cuillère en bois. Incorporez un
deuxième tiers de farine, en remuant
jusqu'à ce que la pâte forme une
masse et commence à se détacher de
la paroi du saladier.

3 ▲ Saupoudrez un peu de la farine
restante sur un plan de travail lisse.
Retirez la pâte du saladier et
commencez à la pétrir en
incorporant le reste de la farine petit
à petit. Pétrissez la pâte pendant 8 à
10 minutes, jusqu'à ce qu'elle soit
lisse et élastique. Roulez-la en boule.

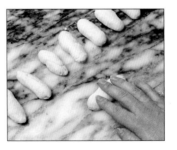

4 ▲ Prenez un morceau de pâte de
la taille d'une petite noix. Faites-la
doucement rouler entre vos doigts de
façon à obtenir un petit boudin.
Réservez-la et posez-la sur une
surface légèrement farinée. Répétez
l'opération jusqu'à ce qu'il n'y ait
plus de pâte. Vous devriez avoir une
trentaine de boudins de pâte environ.

VARIANTE

Vous pouvez aussi rouler
vos gressins dans des graines de pavot
ou de sésame avant de les faire cuire.

5 ▲ Mettez un boudin de pâte sur
un plan de travail propre non fariné.
Faites rouler la pâte sous vos doigts,
en avançant et en reculant vos mains
de façon à obtenir un boudin plus
long et de 1 cm (*3/8 po*) de diamètre
environ. Posez-le sur une plaque à
pâtisserie légèrement huilée. Répétez
l'opération avec les autres boudins,
en veillant à donner à tous vos
gressins la même épaisseur.

6 ▲ Préchauffez le four à 200 °C
(400°F). Couvrez la plaque avec un
torchon et laissez la pâte lever dans
un endroit chaud 10 à 15 minutes,
pendant que le four chauffe. Faites
cuire 8 à
10 minutes, puis sortez les gressins
du four. Retournez-les et remettez-
les au four pendant 6 à 7 minutes
supplémentaires. Ne les laissez pas
brunir. Faites-les refroidir. Les
gressins se mangent croustillants.
S'ils perdent leur craquant,
passez-les au four.

PAIN AU RAISIN

Schiacciata con uva

En Italie centrale, on fabrique ce pain pour fêter les vendanges. Utilisez plutôt de petits raisins noirs avec ou sans pépins. Traditionnellement, ce pain n'est pas confectionné avec du raisin de table, mais avec des variétés à vin.

POUR 6 À 8 PERSONNES

INGRÉDIENTS
750 g (1 ¹/2 lb) de petits raisins noirs
115 g (4 oz) de sucre
1 pâte à pizza traditionnelle
2 cuillerées à café d'huile d'olive

1 ▲ Retirez les grains de raisin de leurs grappes. Lavez-les bien et essuyez-les avec une feuille de papier absorbant. Mettez-les dans un saladier et couvrez-les de sucre. Réservez.

2 ▲ Pétrissez légèrement la pâte, puis divisez-la en deux moitiés. Étalez-en une à la main ou au rouleau de façon à obtenir un disque de 1 cm (¹/2 po) d'épaisseur environ. Mettez-le sur une plaque à pâtisserie légèrement huilée. Garnissez avec la moitié des grains de raisin sucrés.

3 ▲ Étalez la seconde moitié de pâte de façon à obtenir un disque de la même taille que le premier. Placez-le sur le premier.

4 ▲ Appuyez fermement sur les bords pour les souder, et garnissez le dessus avec le reste des raisins. Couvrez la pâte avec un torchon et laissez-la lever dans un endroit chaud pendant 30 minutes. Préchauffez le four à 190 °C (375°F). Arrosez le pain avec l'huile d'olive et faites-le cuire 50 à 60 minutes. Laissez-le refroidir avant de le servir.

TARTE À LA TOMATE

Torta di pomodoro

Si la garniture de cette tarte rappelle celle de la pizza, la base en est une pâte brisée et non une pâte levée.

POUR 6 À 8 PERSONNES

INGRÉDIENTS
175 g (6 oz) de farine
1/2 cuillerée à café de sel
115 g (4 oz) de beurre ou de margarine
*   bien frais*
3 à 5 cuillerées à soupe d'eau froide
2 cuillerées à soupe d'huile d'olive
POUR LA GARNITURE
75 g (6 oz) de mozzarelle, coupée en
*   tranches aussi fines que possible*
12 feuilles de basilic
4 à 5 tomates coupées en tranches
Sel et poivre noir fraîchement moulu
4 cuillerées à soupe de parmesan frais
*   râpé*

4 ▲ Garnissez la pâte avec une feuille de papier sulfurisé sur laquelle vous déposerez des haricots secs. Enfournez pendant 15 minutes environ, puis sortez le moule du four, sans éteindre ce dernier.

5 Retirez le papier et les haricots. Badigeonnez la pâte d'huile. Disposez la mozzarelle, puis parsemez-la de la moitié des feuilles de basilic ciselées.

6 ▲ Disposez les rondelles de tomates sur le fromage. Parsemez-les avec les feuilles de basilic restantes, entières. Salez, poivrez, puis saupoudrez de parmesan râpé et arrosez d'un filet d'huile d'olive. Faites cuire 35 minutes environ. Si le fromage rend trop de liquide en cuisant, inclinez le moule et retirez cet excédent pour que la pâte ne soit pas détrempée. Servez chaud ou à température ambiante.

1 ▲ Préparez la pâte : mélangez la farine et le sel dans un saladier. Incorporez ensuite le beurre ou la margarine aux ingrédients secs à l'aide d'une fourchette. Ajoutez 3 cuillerées à soupe d'eau et mélangez à la fourchette, jusqu'à ce que la pâte se tienne. Si elle est encore trop friable, rajoutez un peu d'eau.

2 Roulez la pâte en boule puis aplatissez-la. Enveloppez-la dans une feuille de papier sulfurisé et mettez-la au moins 40 minutes au réfrigérateur. Préchauffez le four à 190 °C (375°F).

3 Étalez la pâte entre deux feuilles de papier sulfurisé pour obtenir un disque de 5 mm (1/4 po) d'épaisseur. Garnissez-en un moule à tarte de 28 cm (11 po) de diamètre. Remettez au réfrigérateur pendant 20 minutes supplémentaires. Piquez ensuite le fond de tarte à la fourchette.

PIZZA DE POMMES DE TERRE   *Pizza di patate*

Cette spécialité de la région des Pouilles est préparée avec de la purée de pommes de terre et garnie de filets d'anchois, de câpres et de tomates.

POUR 4 PERSONNES

INGRÉDIENTS
1 kg (2 lb) de pommes de terre
100 ml (¹/2 tasse) d'huile d'olive
*   vierge extra*
Sel et poivre noir fraîchement moulu
2 gousses d'ail finement émincées
350 g (12 oz) de tomates coupées
*   en dés*
3 filets d'anchois hachés
2 cuillerées à soupe de câpres rincées

1 ▲ Faites cuire les pommes de terre en robe des champs. Épluchez-les et écrasez-les au presse-purée. Ajoutez 3 cuillerées à soupe d'huile d'olive, salez et poivrez.

2 Chauffez 3 autres cuillerées à soupe d'huile dans une casserole de taille moyenne. Ajoutez l'ail et les tomates coupées en dés et faites-les cuire 12 à 15 minutes à feu doux, jusqu'à ce que les tomates ramollissent. Pendant ce temps, préchauffez le four à 200 °C (400°F).

3 ▲ Huilez un plat à four peu profond. Étalez la moitié de la purée en une couche régulière au fond du plat. Couvrez-la de tomates, et parsemez de morceaux d'anchois et de câpres.

4 ▲ Étalez le reste de purée au-dessus de la garniture. Badigeonnez le dessus avec le reste d'huile d'olive et faites cuire dans le four préchauffé pendant 20 à 25 minutes, jusqu'à ce que le dessus soit doré.

VARIANTE

Pour obtenir une version végétarienne de ce plat, ne mettez pas d'anchois. Vous pouvez éventuellement les remplacer par quelques olives dénoyautées et hachées.

BRUSCHETTA À LA TOMATE   *Bruschetta con pomodoro*

Ces tartines de pain grillé frottées d'ail, arrosées d'huile d'olive et garnies de tomates fraîches hachées se dégustent volontiers en entrée.

POUR 4 PERSONNES

INGRÉDIENTS
3 à 4 tomates moyennes hachées
Sel et poivre noir fraîchement moulu
Quelques feuilles de basilic frais ciselées
8 tranches de pain blanc croustillant
2 à 3 gousses d'ail pelées et coupées
*   en deux*
6 cuillerées à soupe d'huile d'olive

1 Mettez les tomates hachées dans un petit saladier avec leur jus. Salez, poivrez et ajoutez le basilic. Laissez reposer 10 minutes.

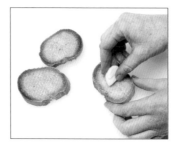

2 ▲ Faites griller le pain jusqu'à ce qu'il soit doré des deux côtés. Frottez un côté de chaque tartine avec de l'ail.

3 ▲ Disposez les canapés sur un plat de service. Arrosez-les d'huile d'olive, puis garnissez-les de tomates et servez immédiatement.

POISSONS ET FRUITS DE MER

L'ail, les herbes et l'huile d'olive donnent aux poissons de mer
ou de rivière un parfum vraiment méditerranéen. Quant aux fruits
de mer, dont la saveur naturelle est judicieusement soulignée
par un assaisonnement aromatique, ils évoquent les plaisirs
de la mer et du soleil.

SOUPE DE MOULES ET DE PALOURDES *Zuppa di cozze e vongole*

· ·

Les soupes de coquillages sont très populaires sur la côte ligurienne.

POUR 4 PERSONNES

INGRÉDIENTS
750 g (1 ¹/2 lb) de moules fraîches
750 g (1 ¹/2 lb) de palourdes fraîches
5 cuillerées à soupe d'huile d'olive
3 gousses d'ail pelées et pressées
300 ml (1 ¹/4 tasse) de vin blanc sec
5 cuillerées à soupe de persil frais haché
Poivre noir fraîchement moulu
Tartines de pain croustillant grillé

1 Ébarbez les moules. Frottez bien les moules et les palourdes et rincez-les dans plusieurs bains d'eau froide. Jetez celles dont les coquilles sont cassées.

2 Chauffez l'huile dans une grande cocotte et faites dorer l'ail. Ajoutez ensuite les moules, les palourdes et le vin. Couvrez et faites cuire 5 à 8 minutes à la vapeur, jusqu'à ce que les coquilles s'ouvrent (jetez les coquillages qui ne s'ouvrent pas).

3 Retirez les moules et les palourdes du feu. Mettez les coquillages dans un plat creux préchauffé. Jetez l'ail.

4 ▲ Filtrez le liquide contenu dans la cocotte dans une passoire tapissée de feuilles de papier absorbant, et versez-le sur les coquillages. Parsemez de persil haché et poivrez.

5 ▲ Pour servir, mettez des tartines de pain grillé au fond des assiettes creuses des convives et servez la soupe avec une louche.

CREVETTES GRILLÉES AUX HERBES *Gamberi con erbe aromatiche*

· ·

Faites mariner de grosses crevettes dans un mélange d'aromates frais, de citron et d'ail avant de les faire griller : un vrai régal !

POUR 4 PERSONNES

INGRÉDIENTS
24 grosses crevettes crues non
*   décortiquées*
3 gousses d'ail finement hachées
3 cuillerées à soupe de basilic frais
*   finement haché*
1 cuillerée à soupe de feuilles de thym frais
2 cuillerées à soupe de persil frais haché
1 cuillerée à soupe de poivre noir
*   grossièrement pilé*
Jus de 1 citron
4 cuillerées à soupe d'huile d'olive
8 feuilles de laurier
50 g (2 oz) de pancetta ou de petit

1 Décortiquez les crevettes et pratiquez une petite incision avec un couteau bien tranchant au milieu du dos de l'animal, sur toute la longueur, puis retirez la veine noire.

2 ▲ Mettez les crevettes dans un saladier avec l'ail, les aromates, le poivre, le jus de citron et l'huile d'olive. Mélangez bien, couvrez et laissez mariner au moins 6 heures, ou mieux encore toute une nuit.

3 ▲ Préchauffez le gril du four. Prenez quatre brochettes en bois, et disposez sur chacune six crevettes, en intercalant une feuille de laurier ou un morceau de petit salé entre les crevettes. Badigeonnez avec le reste de marinade. Faites cuire les brochettes au four ou au barbecue pendant 3 minutes, retournez-les puis poursuivez la cuisson 3 minutes.

GRATIN DE MOULES

Cozze in tortiera

Une autre recette de la région des Pouilles, connue pour ses gratins originaux.

POUR 2 À 3 PERSONNES

INGRÉDIENTS
750 g (1 1/2 lb) de grosses moules
225 g (8 oz) de pommes de terre
5 cuillerées à soupe d'huile d'olive
2 gousses d'ail finement hachées
8 feuilles de basilic frais ciselées
225 g (8 oz) de tomates, pelées et
* coupées en fines rondelles*
3 cuillerées à soupe de chapelure
Poivre noir fraîchement moulu

1 ▲ Ébarbez les moules. Raclez-les et rincez-les dans plusieurs bains d'eau froide. Mettez les moules avec un verre d'eau dans une grande cocotte et faites cuire à feu moyen. Dès qu'elles s'ouvrent, retirez-les. Détachez et jetez les demi-coquilles vides, et laissez les moules dans l'autre demi-coquille (Jetez les moules qui ne s'ouvrent pas.) Filtrez le liquide de cuisson et réservez-le.

2 ▲ Faites cuire les pommes de terre sans les peler. Retirez-les de l'eau, épluchez-les et coupez-les en rondelles.

3 ▲ Préchauffez le four à 180 °C (350°F). Versez 2 cuillerées à soupe d'huile d'olive dans un plat à gratin. Tapissez-le d'une couche de rondelles de pommes de terre. Ajoutez les moules dans leurs demi-coquilles. Parsemez-les d'ail et de basilic.

4 ▲ Recouvrez le tout d'une couche de rondelles de tomates. Saupoudrez de chapelure et de poivre noir, puis arrosez avec le jus de cuisson des moules et le reste d'huile d'olive. Faites cuire une vingtaine de minutes, jusqu'à ce que les tomates soient ramollies et la panure dorée. Servez dans le plat à gratin.

CREVETTES EN SAUCE PIQUANTE

Gamberi alla marinara

· ·

Pour rendre cette sauce tomate plus piquante encore, il suffit de rajouter quelques petits piments.

POUR 6 PERSONNES

INGRÉDIENTS

6 cuillerées à soupe d'huile d'olive
1 oignon moyen finement haché
1 branche de céleri finement hachée
1 petit poivron rouge égrené et émincé
100 ml (1/2 tasse) de vin rouge
1 cuillerée à soupe de vinaigre de vin
400 g (14 oz) de tomates en boîte,
   concassées avec leur jus
Sel et poivre fraîchement moulu
1 kg (2 lb) de crevettes fraîches non
   décortiquées
2 à 3 gousses d'ail finement hachées
3 cuillerées à soupe de persil frais haché
1 morceau de piment séché émietté ou
   haché (facultatif)

1 Dans une cocotte, chauffez la
moitié de l'huile et faites cuire
l'oignon à feu doux, jusqu'à ce qu'il
ramollisse. Ajoutez le céleri et le
poivron et poursuivez la cuisson
5 minutes. Montez le feu et ajoutez
le vin, le vinaigre et les tomates.
Salez et poivrez. Portez à ébullition
et faites cuire 5 minutes environ.

2 ▲ Baissez le feu, couvrez et laissez
mijoter 30 minutes, jusqu'à ce que
les légumes soient tendres. Passez
ensuite la sauce au presse-purée.

3 Décortiquez les crevettes et
pratiquez une petite incision avec un
couteau bien tranchant au milieu du
dos puis retirez la longue veine
noire. Jetez-la.

4 ▲ Chauffez le reste d'huile dans
une autre cocotte. Ajoutez l'ail, le
persil et éventuellement le piment.
Faites revenir le tout à feu moyen en
remuant constamment, jusqu'à ce que
l'ail soit doré. Ajoutez la sauce tomate
et portez à ébullition.

5 ▲ Ajoutez les crevettes. Portez de
nouveau la sauce à ébullition, puis
baissez légèrement le feu et laissez
mijoter 6 à 8 minutes suivant la taille
des crevettes, jusqu'à ce qu'elles
soient roses et rigides. Retirez du feu
et servez.

SARDINES FRAÎCHES GRILLÉES

Sarde alla griglia

Les sardines fraîches n'ont rien à voir avec les sardines à l'huile. Elles ont une chair ferme et très parfumée. La meilleure façon de les préparer consiste tout simplement à les faire griller et à les arroser d'un filet de citron.

POUR 4 À 6 PERSONNES

INGRÉDIENTS

1 kg (2 lb) de sardines très fraîches,
   vidées et étêtées
Huile d'olive pour badigeonner
Sel et poivre noir fraîchement moulu
3 cuillerées à soupe de persil frais
   haché, pour servir
Quartiers de citron, pour garnir

1 Préchauffez le gril. Rincez les
sardines et séchez-les avec une feuille
de papier absorbant.

2 ▲ Badigeonnez légèrement les
sardines d'huile d'olive. Salez et
poivrez généreusement. Disposez les
sardines sur la grille du four, sans les
superposer. Faites-les griller 3 à
4 minutes.

3 ▲ Retournez-les, et poursuivez la
cuisson 3 à 4 minutes, jusqu'à ce que
la peau commence à brunir. Servez
immédiatement, parsemez de persil
haché et garnissez de quartiers de
citron.

LOUP AU FOUR

Branzino aromatizzato al forno

Le loup de mer est un poisson à chair blanche ferme et très fine.

POUR 5 À 6 PERSONNES

INGRÉDIENTS

1 gros loup de mer de 1,5 kg (3 lb)
   environ
4 feuilles de laurier
Quelques brins de thym frais,
   d'estragon ou de basilic frais
8 à 10 brins de persil frais
Quelques fanes de fenouil
1 cuillerée à soupe de grains de poivre
9 cuillerées à soupe d'huile d'olive
Sel et poivre noir fraîchement moulu
Farine
Quartiers de citron, pour garnir

1 Videz le poisson mais laissez la
tête. Lavez-le soigneusement à l'eau
froide, puis essuyez-le avec une
feuille de papier absorbant. Mettez la
moitié des herbes et des grains de
poivre dans un plat creux, et posez le
poisson dessus. Disposez le reste des
aromates sur le poisson et dans ses
entrailles. Arrosez avec 3 cuillerées à
soupe d'huile d'olive. Couvrez-le
légèrement avec une feuille de
papier aluminium et mettez-le au
réfrigérateur pendant 2 heures.

2 ▲ Préchauffez le four à 200 °C
(400°F). Retirez et jetez toutes les
herbes qui garnissent le poisson.
Tamponnez-le avec une feuille de
papier absorbant. Mettez un peu de
farine dans une assiette, salez-la et
poivrez-la. Roulez le poisson dans la
farine et secouez-le pour éliminer
l'excédent éventuel.

3 ▲ Chauffez le reste d'huile dans
une cocotte assez grande pour
contenir le poisson sans l'abîmer.
Lorsque l'huile est chaude, ajoutez le
poisson et saisissez-le rapidement des
deux côtés. Mettez ensuite la cocotte
au four et faites cuire 25 à 40 minutes
suivant la taille du poisson. Le loup
est cuit lorsque sa nageoire dorsale se
détache facilement si l'on tire dessus.
Servez garni de quartiers de citron.

CALAMARS FARCIS

Calamari ripieni

Populaires sur tout le littoral italien, les calamars son tendres et faciles à préparer.

POUR 4 PERSONNES

INGRÉDIENTS
900 g (2 lb) de calamars frais
    (16 moyens environ)
Jus de 1/2 citron
2 filets d'anchois hachés
2 gousses d'ail finement hachées
3 tomates moyennes, pelées, égrenées
    et finement hachées
2 cuillerées à soupe de persil frais haché
50 g (2 oz) de chapelure
1 œuf
Sel et poivre noir fraîchement moulu
2 cuillerées à soupe d'huile d'olive
100 ml (1/2 tasse) de vin blanc sec
Quelques brins de persil frais, pour garnir

1 Près de l'évier, nettoyez les calamars en commençant par retirer la fine peau qui recouvre leur corps. Rincez-les bien, puis séparez la tête et les tentacules de la partie en forme de poche. Une partie des intestins sera entraînée par la tête. Retirez et jetez les arêtes translucides ainsi que tout ce que contient la poche. Coupez les tentacules, jetez la tête et les intestins.

2 Retirez le petit bec dur qui se trouve à la base des tentacules. Mettez les tentacules dans un saladier avec de l'eau citronnée. Rincez bien les poches sous le robinet d'eau froide. Égouttez-les, puis épongez-les.

3 ▲ Préchauffez le four à 180 °C (350°F). Égouttez les tentacules et hachez-les. Mettez-les dans un saladier, et ajoutez-y les six ingrédients suivants. Salez, poivrez et mélangez bien. Farcissez les poches de calamars de ce mélange et fermez l'ouverture avec un cure-dents en bois.

4 ▲ Huilez un plat à gratin assez grand pour contenir tous les calamars sur une seule couche. Disposez les calamars farcis dans le plat. Arrosez-les avec l'huile et le vin. Faites-les cuire au four sans couvrir pendant 35 à 45 minutes, jusqu'à ce qu'ils soient tendres. Retirez les cure-dents et servez garni de persil.

LE CONSEIL DU CHEF

Ne farcissez pas trop les calamars car ils risqueraient d'éclater pendant la cuisson.

CREVETTES ET CALAMARS FRITS

Fritto misto

Vous pouvez utiliser n'importe quel fruit de mer pour cette « friture variée ».

POUR 6 PERSONNES

INGRÉDIENTS
Huile de friture
600 g (1 lb 5 oz) de crevettes fraîches
    décortiquées
600 g (1 lb 5 oz) de calamars, nettoyés
    et coupés en morceaux
115 g (4 oz) de farine
Quartiers de citron pour servir
POUR LA PÂTE À BEIGNETS
2 blancs d'œufs
2 cuillerées à soupe d'huile d'olive
1 cuillerée à soupe de vinaigre de vin blanc
100 g (3 1/2 oz) de farine
250 ml (1 tasse) d'eau
2 cuillerées à café de bicarbonate de
    soude ou de levure chimique
75 g (3 oz) de Maïzena
Sel et poivre noir fraîchement moulu

1 Préparez la pâte à beignets dans un grand saladier : battez les blancs d'œufs, l'huile d'olive et le vinaigre légèrement avec un fouet métallique. Incorporez les ingrédients secs et fouettez jusqu'à ce que le mélange soit bien homogène. Ajoutez l'eau petit à petit. Couvrez et laissez reposer 15 minutes.

2 Chauffez l'huile jusqu'à ce qu'un petit bout de pain grésille dès qu'on l'y jette.

3 Farinez les crevettes et les morceaux de calamar, et secouez-les pour éliminer tout excédent. Trempez-les rapidement dans la pâte et faites-les frire quatre par quatre pendant 1 minute environ, en remuant avec une spatule ajourée pour qu'ils ne collent pas les uns aux autres.

4 ▲ Retirez-les de l'huile et égouttez-les sur une feuille de papier absorbant. Laissez remonter l'huile à la bonne température avant de recommencer l'opération. Salez légèrement les fruits de mer frits et servez très chaud avec des quartiers de citron.

SOUPE DE POISSON

Zuppa di pesce

Qui ignore encore ces délicieuses spécialités méditerranéennes que sont les soupes à base de poisson et de crustacés ?

POUR 6 À 8 PERSONNES

INGRÉDIENTS

3 cuillerées à soupe d'huile d'olive
1 oignon moyen émincé
1 carotte émincée
1/2 branche de céleri émincée
2 gousses d'ail hachées
400 g (14 oz) de tomates en boîte, concassées
225 g (8 oz) de crevettes fraîches, décortiquées (gardez les carapaces)
450 g (1 lb) de têtes et d'arêtes de poisson blanc, les branchies retirées
1 feuille de laurier
1 brin de thym frais, ou 1/4 de cuillerée à café de feuilles de thym séché
Quelques grains de poivre
Sel et poivre noir fraîchement moulu
750 g (1 1/2 lb) de moules fraîches, grattées et rincées
500 g (1 lb) de petites palourdes fraîches, grattées et rincées
250 ml (1 tasse) de vin blanc
1 kg (2 lb) de filets de poissons variés débarrassés de leurs arêtes et coupés en morceaux
3 cuillerées à soupe de persil frais finement haché
Tranches de pain grillé pour servir

2 ▲ Mettez les carapaces de crevettes avec les têtes et les arêtes de poisson dans une grande casserole. Ajoutez les aromates et les grains de poivre et versez 700 ml (3 tasses) d'eau. Portez à ébullition, baissez le feu et laissez frémir 25 minutes. Filtrez et versez dans une casserole avec la sauce tomate. Salez et poivrez.

3 Mettez les moules et les palourdes dans une casserole avec le vin. Couvrez et faites cuire à la vapeur jusqu'à ce que les coquilles s'ouvrent.

4 Retirez les moules et les palourdes de la casserole et réservez-les. Filtrez le liquide de cuisson dans une passoire tapissée de feuilles de papier absorbant et ajoutez-le à la sauce tomate. Vérifiez l'assaisonnement.

5 ▲ Portez la sauce à ébullition. Ajoutez les poissons et laissez-les bouillir 5 minutes. Ajoutez les crevettes et poursuivez la cuisson 3 à 4 minutes. Incorporez ensuite moules et palourdes et cuisez 2 à 3 minutes supplémentaires. Parsemez de persil et servez avec le pain grillé.

1 ▲ Chauffez l'huile dans une cocotte moyenne et faites cuire l'oignon à feu doux, jusqu'à ce qu'il soit ramolli. Ajoutez la carotte et le céleri, et faites cuire 5 minutes de plus. Ajoutez l'ail, les tomates et leur jus et 250 ml (1 tasse) d'eau. Faites cuire 15 minutes à feu moyen, jusqu'à ce que les légumes soient tendres. Mixez dans un robot ménager ou passez au presse-purée. Réservez.

TRUITE AUX OLIVES EN PAPILLOTE *Trota in cartoccio con olive*

La cuisson en papillote conserve au poisson tout son parfum.

POUR 4 PERSONNES

INGRÉDIENTS

4 truites moyennes, de 275 g (10 oz)
chacune environ, vidées
5 cuillerées à soupe d'huile d'olive
4 feuilles de laurier
Sel et poivre noir fraîchement moulu
4 tranches de pancetta ou de petit salé
4 cuillerées à soupe d'échalote hachée
4 cuillerées à soupe de persil frais haché
100 ml (1/2 tasse) de vin blanc sec
24 olives vertes dénoyautées

1 ▲ Préchauffez le four à 200 °C
(400°F). Lavez bien les truites sous le
robinet d'eau froide, puis séchez-les
en les tamponnant avec une feuille
de papier absorbant.

2 ▲ Badigeonnez un peu d'huile sur
quatre morceaux de papier sulfurisé
assez grands pour envelopper une
truite. Posez un poisson sur chaque
morceau de papier huilé. Mettez une
feuille de laurier à l'intérieur de
chaque poisson, salez et poivrez.

3 ▲ Entourez chaque truite d'une
tranche de pancetta, puis parsemez le
tout d'une cuillerée à soupe d'échalotes
et de persil hachés. Arrosez chaque
poisson avec une cuillerée à soupe
d'huile et 2 cuillerées à soupe de vin
blanc. Ajoutez enfin six olives dans
chaque papillote.

4 ▲ Fermez la papillote
hermétiquement, sans trop serrer le
papier autour du poisson. Enfournez
pendant 20 à 25 minutes. Pour servir,
mettez chaque papillote sur une
assiette. Chaque convive ouvrira la
sienne une fois à table.

191

DARNES DE SAUMON GRILLÉES

Salmone alla griglia

Le goût légèrement anisé du fenouil parfume délicieusement le poisson.

POUR 4 PERSONNES

INGRÉDIENTS
Jus de 1 citron
3 cuillerées à soupe de feuilles ou de
fanes de fenouil frais hachées
1 cuillerée à café de graines de fenouil
3 cuillerées à soupe d'huile d'olive
4 darnes de saumon de même épaisseur,
soit 700 g (1 1/2 lb) environ au total
Sel et poivre noir fraîchement moulu
Quartiers de citron, pour garnir

1 Mélangez le jus de citron, le fenouil haché, les graines de fenouil et l'huile d'olive dans un saladier. Mettez-y ensuite les darnes de saumon, et enrobez-les bien de marinade. Salez, poivrez, couvrez et mettez au réfrigérateur. Laissez mariner 2 heures.

2 ▲ Préchauffez le gril du four. Disposez les darnes de saumon sur une grille au-dessus de la lèchefrite ou d'un plat à four. Faites-les griller pendant 3 à 4 minutes à 10 cm (4 po) de la source de chaleur environ.

3 ▲ Retournez les darnes. Arrosez-les avec le reste de marinade et faites-les griller 3 à 4 minutes de l'autre côté, jusqu'à ce que les bords commencent à roussir. Servez chaud, garni de quartiers de citron.

POULPE AU CITRON ET À L'AIL

Polpo con limone e aglio

Le poulpe est un plat très apprécié en Italie. Il est délicieux servi en salade, assaisonné d'ail et de jus de citron.

POUR 3 À 4 PERSONNES

INGRÉDIENTS
1 kg (2 lb) de poulpe (jeune et petit
si possible)
2 cuillerées à soupe de persil frais haché
4 cuillerées à soupe d'huile d'olive
vierge extra
2 gousses d'ail très finement hachées
3 cuillerées à soupe de jus de citron frais
Poivre noir fraîchement moulu

1 Battez le poulpe à plusieurs reprises sur une table ou un plan de travail en marbre. Nettoyez-le, retirez les yeux, le bec et les poches. Lavez le poulpe à l'eau froide.

2 Mettez le poulpe dans une grande casserole et couvrez-le d'eau froide. Portez à ébullition, couvrez hermétiquement et laissez frémir doucement pendant 45 minutes environ pour les petits poulpes et jusqu'à 2 heures pour les plus gros, jusqu'à ce que le poulpe soit tendre.

3 ▲ Retirez le poulpe de la casserole et laissez-le refroidir légèrement. Frottez-le doucement avec un torchon propre pour retirer les restes de peau noire. Coupez le poulpe encore chaud en morceaux de 1,5 cm (3/4 po) d'épaisseur.

LE CONSEIL DU CHEF

En Italie, on met un bouchon de liège dans la casserole où cuit le poulpe pour limiter la formation d'écume.

4 ▲ Mettez les morceaux de poulpe dans un saladier. Ajoutez le persil, l'huile d'olive, l'ail et le jus de citron, poivrez et mélangez bien. Laissez reposer au moins 20 minutes avant de servir à température ambiante.

MORUE AU FOUR SERVIE AVEC DE L'AÏOLI *Merluzzo al forno*

La morue n'étant pas un poisson méditerranéen, on lui substitue parfois en Italie un poisson local similaire.

POUR 4 PERSONNES

INGRÉDIENTS
4 filets d'anchois
3 cuillerées à soupe de persil frais haché
Poivre noir grossièrement moulu
6 cuillerées à soupe d'huile d'olive
4 filets de morue fraîche, pelés
40 g (1 ¹/2 oz) de chapelure
POUR L'AÏOLI
2 gousses d'ail finement hachées
1 jaune d'œuf
*1 cuillerée à soupe de moutarde
de Dijon*
175 ml (³/4 de tasse) d'huile végétale
Sel et poivre noir fraîchement moulu

1 Préparez l'aïoli : mettez tout d'abord l'ail dans un mortier ou un bol. Pilez-le de façon à obtenir une pâte. Ajoutez le jaune d'œuf battu et la moutarde. Versez l'huile en filet tout en battant vigoureusement avec un petit fouet métallique. Lorsque le mélange est lisse et épais, salez et poivrez. Couvrez le bol et mettez-le au frais.

2 ▲ Préchauffez le four à 200 °C (400°F). Hachez très finement les filets d'anchois avec le persil. Mettez-les dans un bol, ajoutez le poivre et 3 cuillerées à soupe d'huile d'olive. Mélangez bien de façon à obtenir une pâte.

3 ▲ Disposez les filets de morue sur une seule couche dans un plat à four huilé. Tartinez-les avec la pâte d'anchois, puis saupoudrez de chapelure et arrosez avec le reste d'huile. Faites cuire 20 à 25 minutes, jusqu'à ce que la chapelure soit bien dorée. Servez chaud accompagné d'aïoli.

MÉDAILLONS DE LOTTE AU THYM   *Pescatrice con timo*

La chair douce de la lotte se mêle très bien aux saveurs méditerranéennes.

POUR 4 PERSONNES

INGRÉDIENTS
*600 g (1 ¹/4 lb) de filet de lotte, de
préférence en un seul morceau*
*3 cuillerées à soupe d'huile d'olive
vierge extra*
*75 g (3 oz) de petites olives noires, de
la Riviera italienne si possible*
*1 grosse tomate, ou 2 petites, égrenée
et coupée en dés*
*1 brin de thym frais, ou 1 cuillerée à
soupe de thym séché*
Sel et poivre noir fraîchement moulu
1 cuillerée à soupe de persil frais haché

1 Préchauffez le four à 200 °C (400°F) . Retirez la membrane grise de la lotte si besoin est. Coupez le poisson en tranches de 1 cm (1/2 po) d'épaisseur.

2 Chauffez une poêle sans huile. Saisissez le poisson rapidement, de chaque côté, puis retirez-le et réservez-le.

3 ▲Versez 1 cuillerée à soupe d'huile d'olive au fond d'un plat à four. Disposez le poisson en une seule couche, et répartissez dessus les olives et la tomate coupée en dés.

4 Saupoudrez de thym, salez, poivrez et arrosez avec le reste d'huile. Faites cuire 10 à 12 minutes.

5 ▲ Pour servir, répartissez les médaillons sur les quatre assiettes préchauffées. Versez dessus les légumes et arrosez de jus de cuisson. Parsemez de persil haché.

ROULÉS D'ESPADON FARCIS

Involtini di pesce spada

Comme l'espadon abonde dans les eaux qui bordent la Sicile, on le retrouve dans de nombreuses recettes propres à cette île.

POUR 4 PERSONNES

INGRÉDIENTS
4 darnes d'espadon frais
6 cuillerées à soupe d'huile d'olive
1 gousse d'ail finement hachée (facultatif)
50 g (2 oz) de chapelure
2 cuillerées à soupe de câpres rincées,
*   égouttées et hachées*
10 feuilles de basilic frais
4 cuillerées à soupe de jus de citron frais
Sel et poivre noir fraîchement moulu
POUR LA SAUCE TOMATE
2 cuillerées à soupe d'huile d'olive
1 gousse d'ail pelée et écrasée
1 petit oignon finement haché
450 g (1 lb) de tomates pelées
100 ml (1/2 tasse) de vin blanc sec
Sel et poivre noir fraîchement moulu

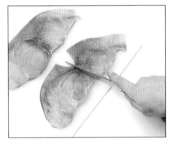

1 ▲ Coupez les darnes d'espadon en deux et retirez les éventuelles arêtes. Badigeonnez avec 2 cuillerées à soupe d'huile, et conservez au réfrigérateur jusqu'au dernier moment.

2 Préparez la sauce tomate : chauffez l'huile dans une cocotte moyenne. Faites-y dorer l'ail, puis jetez-le. Ajoutez l'oignon, et faites-le revenir à feu doux jusqu'à ce qu'il ramollisse. Ajoutez les tomates et le vin. Salez, poivrez. Couvrez et poursuivez la cuisson à feu moyen pendant 15 minutes. Passez la sauce au presse-purée ou au mixer, vérifiez l'assaisonnement et maintenez-la au chaud pendant que vous préparez le poisson. Préchauffez le four à 200 °C (400°F).

3 Dans un bol, mélangez 2 cuillerées à soupe d'huile d'olive avec l'ail (si vous avez décidé d'en mettre), la chapelure, les câpres, le basilic et le jus de citron. Salez, poivrez et travaillez jusqu'à obtention d'une pâte.

4 ▲ Posez les morceaux d'espadon à plat sur une planche. Répartissez la farce entre les différentes tranches de poisson et étalez-la au centre de chacune d'elles. Enroulez le poisson et maintenez les rouleaux fermés avec des cure-dents en bois.

5 ▲ Chauffez le reste d'huile dans un plat à four. Ajoutez les rouleaux d'espadon et faites-les revenir rapidement à feu vif, en les retournant une fois ou deux. Au bout de 3 ou 4 minutes, versez la sauce tomate. Mettez le plat au four et faites cuire 15 minutes, en arrosant de temps en temps avec le jus de cuisson. Servez chaud.

ROUGETS À LA TOMATE

Triglie con pomodoro

Le rouget est un poisson populaire en Italie, et cette recette accentue autant sa saveur que sa couleur.

POUR 4 PERSONNES

INGRÉDIENTS

4 rougets (de 175 à 200 g (6-7 oz)
  chacun)
450 g (1 lb) de tomates pelées ou
  400 g (14 oz) de tomates en boîte
4 cuillerées à soupe d'huile d'olive
4 cuillerées à soupe de persil frais haché
2 gousses d'ail finement hachées
Sel et poivre noir fraîchement moulu
100 ml (1/2 tasse) de vin blanc
4 fines rondelles de citron coupées
  en deux

1 ⚠ Écaillez et nettoyez les poissons sans retirer le foie. Rincez-les et séchez-les avec une feuille de papier absorbant.

2 ⚠ Hachez les tomates en petits dés. Chauffez l'huile dans une poêle ou une cocotte assez grande pour contenir le poisson sur une seule couche. Ajoutez le persil, l'ail et faites sauter le tout 1 minute. Ajoutez les tomates et faites cuire à feu moyen pendant 15 à 20 minutes. Salez et poivrez.

3 ⚠ Ajoutez le poisson à la sauce tomate et poursuivez la cuisson à feu moyen pendant 5 minutes. Ajoutez le vin et les rondelles de citron. Portez la sauce à ébullition et faites cuire ainsi 5 minutes de plus. Retournez le poisson, et poursuivez la cuisson encore 4 à 5 minutes. Retirez le poisson et disposez-le sur un plat de service préchauffé. Gardez-le au chaud.

4 ⚠ Faites bouillir la sauce 3 à 4 minutes pour qu'elle réduise légèrement. Nappez-en le poisson et servez.

VARIANTE

Dans cette recette, vous pouvez remplacer les rougets par des petits loups.

SOLE À LA SAUCE AIGRE-DOUCE

Sfogi in saor

Pensez à préparer ce plat vénitien un ou deux jours à l'avance.

INGRÉDIENTS
4 cuillerées à soupe de farine
Sel et poivre noir fraîchement moulu
1 pincée de clous de girofle moulus
3 à 4 filets de sole (500 g environ au
* total) divisés en deux*
6 à 8 cuillerées à soupe d'huile d'olive
35 g de pignons de pin
3 feuilles de laurier
1 pincée de cannelle en poudre
1 pincée de muscade moulue
4 clous de girofle
1 petit oignon très finement émincé
50 ml de vin blanc sec
50 ml de vinaigre de vin blanc
50 g de raisins secs

1 Salez et poivrez la farine, ajoutez-y les clous de girofle moulus, puis farinez les filets de sole.

2 Chauffez 3 cuillerées à soupe d'huile dans une poêle ou une sauteuse. Faites cuire les filets de sole quatre par quatre, pendant 3 minutes de chaque côté environ, jusqu'à ce qu'ils soient dorés.

3 ▲ Retirez-les avec une spatule ajourée et mettez-les dans un plat. Parsemez de pignons de pin, de feuilles de laurier, de cannelle, de muscade et de clous de girofle entiers.

4 ▲ Chauffez le reste d'huile dans une casserole. Ajoutez l'oignon et faites-le dorer à feu doux. Versez ensuite le vin, le vinaigre, ajoutez les raisins secs et faites bouillir 4 à 5 minutes. Versez ce liquide sur le poisson. Couvrez le plat avec du papier aluminium et mettez-le dans un endroit frais pendant 24 à 48 heures. Ce plat se sert traditionnellement à température ambiante.

MORUE SALÉE À L'AIL ET AU PERSIL

Baccalà alla bolognese

Importée de Scandinavie depuis des siècles, la morue salée rencontre un grand succès dans toute l'Italie. N'oubliez pas de faire tremper ce poisson dans l'eau pendant au moins 24 heures pour qu'il ne soit pas trop salé.

INGRÉDIENTS
750 g de morue salée, sans arête et sans
* peau, de préférence en un seul morceau*
Farine assaisonnée de poivre noir
* fraîchement moulu*
2 cuillerées à soupe d'huile d'olive
* vierge extra*
3 cuillerées à soupe de persil frais
* finement haché*
2 gousses d'ail finement hachées
2 cuillerées à soupe de beurre, coupé en
* petits morceaux*
Quartiers de citron, pour servir

1 Coupez la morue salée en carrés de 5 cm de côté. Mettez-les dans une grand saladier et couvrez d'eau froide. Laissez tremper au moins 24 heures, en changeant l'eau fréquemment.

2 ▲ Préchauffez le four à 190 °C. Égouttez le poisson et secouez-le pour éliminer le maximum d'eau. Saupoudrez-le de farine assaisonnée.

3 Avec une cuillerée à soupe d'huile d'olive, graissez un plat à four assez grand pour contenir tout le poisson disposé en une seule couche.

4 ▲ Mettez le poisson dans le plat. Mélangez le persil haché et l'ail, et garnissez-en uniformément le poisson. Arrosez avec le reste d'huile et parsemez de noisettes de beurre. Faites cuire au four pendant 15 minutes, puis retournez le poisson et poursuivez la cuisson 15 à 20 minutes de plus. Servez immédiatement, garni de quartiers de citron.

VIANDES, VOLAILLES ET GIBIERS

Vous découvrirez dans ce chapitre les grands classiques de la cuisine italienne, très simples à réaliser, des filets de volaille à la florentine aux parfums plus subtils du ragoût d'agneau à la tomate et à l'ail.

POULET AUX POIVRONS

Pollo con peperoni

Ce plat coloré est originaire du sud de l'Italie, région où abondent les poivrons.

Pour 4 Personnes

Ingrédients

1,5 kg (3 lb) de poulet découpé en
   portions
3 gros poivrons, rouges, jaunes ou verts
6 cuillerées à soupe d'huile d'olive
2 oignons rouges moyens finement
   émincés
2 gousses d'ail finement hachées
1 petit morceau de piment séché émietté
   (facultatif)
100 ml (½ tasse) de vin blanc
Sel et poivre noir fraîchement moulu
2 tomates fraîches ou en boîte, pelées
   et hachées
3 cuillerées à soupe de persil frais haché

1 Retirez tout amas de graisse et un
peu de peau du poulet. Lavez les
poivrons, coupez-les en deux,
égrenez-les et retirez la queue.
Coupez-les en fines lamelles.

2 ▲ Chauffez la moitié de l'huile
dans une grande cocotte. Ajoutez les
oignons et faites-les dorer à feu doux
jusqu'à ce qu'ils ramollissent.
Réservez. Ajoutez le reste d'huile,
montez le feu et faites revenir le
poulet à feu moyen 6 à 8 minutes.
Remettez les oignons dans la
casserole, ajoutez l'ail et
éventuellement le piment séché.

3 ▲ Versez le vin et prolongez la
cuisson jusqu'à ce qu'il ait réduit de
moitié. Ajoutez les poivrons et
mélangez bien pour les enrober de
matière grasse. Salez et poivrez. Au
bout de 3 à 4 minutes, ajoutez les
tomates. Baissez le feu, couvrez et
laissez mijoter 25 à 30 minutes.
Remuez de temps en temps. Une fois
la cuisson terminée, ajoutez le persil.

POULET À LA FLORENTINE

Petti di pollo alla fiorentina

Voici une recette fort simple qui fait ressortir la délicate saveur du poulet.

Pour 4 Personnes

Ingrédients

4 petits blancs de poulet, pelés
   et désossés
Farine assaisonnée de sel et de poivre
   noir fraîchement moulu
75 g (3 oz) de beurre
1 brin de persil frais, pour garnir

1 Séparez les blancs en deux (les
deux filets, un gros et un plus petit,
se détachent très facilement).
Attendrissez les gros filets de façon à
les aplanir. Farinez-les, et secouez-les
pour éliminer l'excédent de farine.

2 ▲ Chauffez le beurre dans une
grande poêle jusqu'à ce qu'il mousse.
Mettez-y les blancs de poulet sans
qu'ils se chevauchent. Faites-les
revenir pendant 3 à 4 minutes à feu
moyen, jusqu'à ce qu'ils soient bien
dorés.

3 ▲ Retournez les morceaux de
poulet. Baissez le feu, et poursuivez
la cuisson 9 à 12 minutes, jusqu'à ce
que le poulet soit cuit mais pas sec.
Si le poulet roussit trop, couvrez la
poêle pendant les dernières minutes
de cuisson. Servez garni de persil.

Le conseil du chef

Pour ne pas couvrir sa saveur subtile,
servez ce plat avec des légumes
délicatement parfumés.

POULET RÔTI AU FENOUIL   *Pollo con finocchio*

En Italie, on prépare ce plat avec du fenouil sauvage, mais vous pouvez aussi utiliser du fenouil de culture.

POUR 4 À 5 PERSONNES

INGRÉDIENTS
1 poulet de 1,8 kg (3 1/2 lb) environ
Sel et poivre noir fraîchement moulu
1 oignon coupé en quatre
100 ml (1/2 tasse) d'huile d'olive
2 bulbes de fenouil moyens
1 gousse d'ail pelée
1 pincée de muscade râpée
3 à 4 tranches de pancetta
100 ml (1/2 tasse) de vin blanc sec

1 Préchauffez le four à 180 °C (350°F). Rincez le poulet à l'eau froide, puis séchez-le avec une feuille de papier absorbant. Salez et poivrez. Mettez l'oignon coupé en quatre dans les entrailles de la volaille. Badigeonnez le poulet avec 3 cuillerées à soupe d'huile d'olive, et mettez-le dans un plat à four.

2 Coupez les fanes de fenouil et hachez-les avec l'ail. Mettez le tout dans un bol, ajoutez la muscade et mélangez. Salez, poivrez.

3 ▲ Saupoudrez le poulet avec ce mélange aromatique, en faisant en sorte qu'il adhère à la peau huilée. Couvrez les blancs avec la pancetta. Arrosez avec 2 cuillerées à soupe d'huile d'olive et enfournez pendant 30 minutes.

4 Pendant ce temps, faites blanchir les bulbes de fenouil. Coupez-les en quatre ou en six dans le sens de la longueur. Au bout 30 minutes de cuisson, sortez le poulet du four. Arrosez-le avec le jus de cuisson.

5 Disposez les morceaux de fenouil autour du poulet. Arrosez le fenouil avec le reste d'huile d'olive. Versez la moitié du vin sur le poulet, et remettez le plat au four.

6 ▲ Trente minutes plus tard, arrosez à nouveau le poulet avec le jus de cuisson, puis versez le reste de vin. Faites cuire 15 à 20 minutes de plus. Pour savoir si le poulet est cuit, piquez une cuisse avec une fourchette. Si le jus qui s'en écoule est transparent, il est cuit.

POULET AU JAMBON ET AU FROMAGE   *Petti di pollo alla bolognese*

Ce plat savoureux est originaire d'Emilie-Romagne, où on le prépare également avec du veau.

POUR 4 PERSONNES

INGRÉDIENTS
4 petits blancs de poulet, pelés et désossés
Farine assaisonnée de sel et de poivre noir fraîchement moulu
50 g (2 oz) de beurre
3 à 4 feuilles de sauge
4 tranches de jambon cru ou cuit coupées en deux
50 g (2 oz) de parmesan frais râpé

1 Coupez chaque blanc en deux dans le sens de la longueur, de façon à obtenir deux filets plats pratiquement de la même épaisseur. Farinez-les et secouez-les pour éliminer l'excédent de farine.

2 ▲ Préchauffez le grill. Chauffez le beurre dans une grande poêle avec les feuilles de sauge. Ajoutez le poulet, disposé sur une seule couche, et faites cuire à feu moyen pendant une quinzaine de minutes, jusqu'à ce que la volaille soit dorée des deux côtés.

3 ▲ Retirez le poulet du feu et disposez les morceaux sur un plat à four ou une grille. Mettez un morceau de pancetta sur chaque filet de poulet, et saupoudrez de parmesan râpé. Faites griller 3 à 4 minutes, jusqu'à ce que le fromage soit fondu.

BROCHETTES DE DINDE

Spiedini di tacchino

Vous pouvez faire cuire ces brochettes sous le grill du four ou bien au feu de bois.

POUR 4 PERSONNES

INGRÉDIENTS
6 cuillerées à soupe d'huile d'olive
3 cuillerées à soupe de jus de citron frais
1 gousse d'ail finement hachée
2 cuillerées à soupe de basilic frais haché
Sel et poivre noir fraîchement moulu
2 courgettes moyennes
1 longue aubergine assez fine
300 g (11 oz) de filet de dinde coupé
  en cubes de 5 cm (2 po) de côté
12 petits oignons blancs
1 poivron, rouge ou jaune, coupé en
  carrés de 5 cm (2 po) de côté

3 ▲ Préparez les brochettes en alternant morceaux de dinde, oignons et carrés de poivron. Disposez les brochettes prêtes sur un plat et arrosez-les d'huile parfumée. Laissez mariner au moins 30 minutes. Préchauffez le gril du four.

4 ▲ Faites griller les brochettes une dizaine de minutes, jusqu'à ce que les légumes soient tendres, en les retournant de temps en temps. Servez bien chaud.

1 ▲ Dans un bol, mélangez l'huile, le jus de citron, l'ail et le basilic. Salez et poivrez.

2 ▲ Coupez les courgettes et les aubergines dans le sens de la longueur en bandelettes de 5 mm (1/4 po) d'épaisseur, et recoupez-les aux deux tiers de leur longueur. Jetez la petite longueur, puis enveloppez la moitié des morceaux de dinde avec des tranches de courgettes, et l'autre moitié avec des tranches d'aubergine.

ESCALOPES DE DINDE AUX OLIVES *Petto di tacchino*

Cette recette rapide à préparer fait un plat principal savoureux et léger tout à la fois.

POUR 4 PERSONNES

INGRÉDIENTS

6 cuillerées à soupe d'huile d'olive
1 gousse d'ail, pelée et légèrement hachée
1 piment séché légèrement émietté
500 g (1 1/4 lb) de blanc de dinde
    désossé, coupé en tranches de 5 mm
    (2 po) d'épaisseur environ
Sel et poivre noir fraîchement moulu
100 ml (1/2 tasse) de vin blanc sec
4 tomates, pelées et égrenées, coupées en
    fines lamelles
24 olives noires environ
6 à 8 feuilles de basilic frais ciselées

1 ▲ Chauffez 4 cuillerées à soupe d'huile d'olive dans une grande poêle. Ajoutez l'ail et le piment séché, et faites-les revenir à feu doux jusqu'à ce que l'ail soit doré.

2 ▲ Montez le feu, puis ajoutez les escalopes de dinde. Faites-les revenir légèrement des deux côtés. Salez et poivrez. La volaille est cuite en 2 minutes environ. Retirez-la du feu et réservez-la dans un plat préchauffé.

3 ▲ Jetez l'ail et le piment. Ajoutez le vin, la tomate et les olives. Faites cuire à feu moyen pendant 3 à 4 minutes, en raclant le fond de la poêle sur lequel la viande a pu attacher.

4 ▲ Remettez la dinde dans la poêle. Parsemez de basilic, et réchauffez 30 secondes environ. Servez.

ROULÉ DE DINDE FARCI

Petto di tacchino ripieno

. . . .

Voici une recette raffinée pour un plat principal néanmoins bon marché.

POUR 4 À 5 PERSONNES

INGRÉDIENTS

750 g (1 ¹/2 lb) de blanc de dinde en un
  seul morceau, sans peau ni os
1 carotte coupée en julienne
1 courgette moyenne coupée en julienne
75 g (3 oz) de jambon coupé en fines
  lamelles
115 g (4 oz) de mie de pain trempée
  dans du lait
10 olives vertes dénoyautées et finement
  hachées
1 grosse gousse d'ail, finement émincée
4 cuillerées à soupe de persil frais haché
4 cuillerées à soupe de basilic frais haché
1 œuf
1 zeste de citron
2 cuillerées à soupe de parmesan frais
  râpé
Sel et poivre noir fraîchement moulu
4 cuillerées à soupe d'huile d'olive
250 ml (1 tasse) de bouillon de poulet,
  chaud
¹/2 citron coupé en fins quartiers
2 cuillerées à soupe de beurre

1 ▲ Avec un couteau bien tranchant,
ouvrez-le et coupez-le
en deux dans l'épaisseur, en veillant
à vous arrêter 1 cm (¹/2 po) environ
avant de traverser, de façon à
conserver une sorte de charnière.

VARIANTE

Vous pouvez remplacer le jambon
par 75 g (3 oz) de champignons
légèrement sautés dans 3 cuillerées à
soupe de beurre. Dans ce cas, n'utilisez
pas de citron pour la cuisson.

2 ▲ Attendrissez la viande avec un
maillet de façon à obtenir une
grande escalope d'épaisseur plus ou
moins uniforme.

3 ▲ Préchauffez le four à 200 °C
(400°F). Faites blanchir les bâtonnets
de carotte et de courgette pendant
2 minutes. Égouttez-les, puis mélangez-
les aux bâtonnets de jambon.

4 ▲ Pressez le pain pour éliminer le
plus de lait possible et mettez la mie
dans une terrine. Écrasez-la à la
fourchette, puis ajoutez les olives, l'ail,
les aromates et l'œuf. Mélangez.
Ajoutez le zeste de citron et le
parmesan, salez et poivrez.

5 ▲ Étalez une couche du mélange
à base de pain sur la viande, sans
couvrir les bords. Couvrez de
bâtonnets de jambon, courgette et
carotte, puis roulez l'escalope.
Attachez le roulé farci en plusieurs
endroits avec de la ficelle.

6 ▲ Chauffez l'huile dans une
cocotte à four légèrement plus
grande que le roulé. Lorsque l'huile
est chaude, faites revenir la viande sur
tous les côtés. Retirez du feu, ajoutez
le bouillon, et disposez les quartiers
de citron tout autour de la viande.
Couvrez et enfournez.

7 Retirez le couvercle au bout de
15 minutes. Jetez le citron et arrosez
la viande avec le jus de cuisson.
Poursuivez la cuisson à découvert
pendant 25 à 30 minutes, en arrosant
la viande de temps en temps avec
son jus. Laissez-la reposer 10 minutes
avant de la couper.

8 Filtrez la sauce. Ajoutez le beurre
et vérifiez l'assaisonnement.

COQUELETS MARINÉS FRITS — *Galletti marinati in padella*

Le secret de cette recette tient dans la marinade, qui parfume délicieusement la chair de ces coquelets.

POUR 3 À 4 PERSONNES

INGRÉDIENTS
2 coquelets de 450 g (1 lb) chacun environ
5 à 6 feuilles de menthe fraîche, ciselées
1 poireau coupé en fines rondelles
1 gousse d'ail finement hachée
Sel et poivre noir fraîchement moulu
4 cuillerées à soupe d'huile d'olive
2 cuillerées à soupe de jus de citron frais
50 ml (¼ de tasse) de vin blanc sec
Feuilles de menthe, pour garnir

1 Coupez les coquelets en deux dans le sens de la longueur. Aplatissez les quatre moitiés au maillet, puis mettez-les dans un saladier avec la menthe, le poireau, l'ail et le poivre. Arrosez avec l'huile et la moitié du jus de citron, couvrez et laissez reposer dans un endroit frais pendant au moins 6 heures.

2 ▲ Chauffez une grande cocotte. Mettez-y les coquelets et la marinade, couvrez et faites cuire à feu moyen pendant 45 minutes environ, en les retournant de temps en temps. Salez pendant la cuisson. Retirez du feu et réservez dans un plat préchauffé.

3 ▲ Inclinez la cocotte et retirez le gras. Versez le vin et le reste de jus de citron, et faites réduire la sauce. Filtrez-la en éliminant le maximum de jus des légumes. Disposez les demi-coquelets sur les assiettes, et nappez-les de sauce. Saupoudrez de menthe et servez.

CAILLES AUX RAISINS — *Quaglie con uva*

Pour cette recette, n'hésitez pas à prendre les raisins blancs les plus parfumés que vous trouverez.

POUR 4 PERSONNES

INGRÉDIENTS
6 à 8 cailles fraîches, vidées
Sel et poivre noir fraîchement moulu
4 cuillerées à soupe d'huile d'olive
50 g (2 oz) de pancetta ou de petit salé, coupés en petits dés
250 ml (1 tasse) de vin blanc sec
250 ml (1 tasse) de bouillon de poulet chaud
350 g (12 oz) de raisin blanc

1 Rincez soigneusement les cailles à l'eau froide, et essuyez-les avec du papier absorbant. Salez et poivrez l'intérieur des oiseaux.

2 Chauffez l'huile dans une cocotte assez grande pour contenir toutes les cailles sans les superposer. Ajoutez la pancetta ou le petit salé, et faites revenir à feu doux pendant 5 minutes.

3 ▲ Montez le feu et disposez les cailles dans la cocotte. Faites-les dorer de tous les côtés. Versez le vin et faites-le réduire de moitié à feu moyen. Retournez les cailles, couvrez et poursuivez la cuisson 15 minutes. Ajoutez le bouillon, retournez de nouveau les cailles et faites-les cuire 15 à 20 minutes de plus, jusqu'à ce que les oiseaux soient tendres. Retirez-les du feu et maintenez-les au chaud pendant que vous terminez la sauce.

4 ▲ Faites blanchir les grains de raisin 3 minutes dans l'eau bouillante. Égouttez-les et réservez.

5 Filtrez le jus de cuisson des cailles dans un petit pot en verre. Si vous avez utilisé du petit salé et non de la pancetta, laissez le gras monter à la surface, puis jetez-le. Versez la sauce dans une petite casserole. Ajoutez les grains de raisin et réchauffez-les doucement pendant 2 à 3 minutes. Nappez les cailles de sauce et servez.

CANARD AUX CHÂTAIGNES   *Petti di anatra con salsa di castagne*

Ce plat automnal tire un excellent parti des châtaignes que l'on ramasse dans les bois.

POUR 4 À 5 PERSONNES

INGRÉDIENTS

1 brin de romarin frais
1 gousse d'ail finement émincée
2 cuillerées à soupe d'huile d'olive
4 filets de canard débarrassés des os
    et de tout amas de graisse

POUR LA SAUCE

450 g (1 lb) de châtaignes
1 cuillerée à soupe d'huile
350 ml (1/2 tasse) de lait
1 petit oignon finement haché
1 carotte finement émincée
1 petite feuille de laurier
Sel et poivre noir fraîchement moulu
2 cuillerées à soupe de crème fraîche chaude

1 ▲ Effeuillez le brin de romarin. Mélangez les feuilles avec l'ail et l'huile dans un bol. Essuyez les filets de canard avec une feuille de papier absorbant, puis badigeonnez-les avec la marinade. Laissez reposer au moins 2 heures avant de les faire cuire.

2 Préchauffez le four à 180 °C (350°F). Avec un couteau pointu, pratiquez une entaille en forme de croix dans la partie plate de chaque châtaigne.

LE CONSEIL DU CHEF

La sauce aux châtaignes peut être préparée à l'avance. Elle se conserve jusqu'à deux jours au réfrigérateur. Vous pouvez également la confectionner lorsque c'est la saison des châtaignes, puis la congeler. Laissez-la alors décongeler à température ambiante avant de la réchauffer.

3 ▲ Mettez les châtaignes dans un plat à four avec l'huile. Faites-les cuire au four une vingtaine de minutes, puis pelez-les.

4 Mettez les châtaignes pelées dans une cocotte avec le lait, l'oignon, la carotte et la feuille de laurier. Faites cuire doucement pendant 10 à 15 minutes. Salez et poivrez. Jetez la feuille de laurier, puis passez le mélange au tamis.

5 Remettez la sauce dans la cocotte. Faites-la chauffer doucement pendant que vous ferez cuire le canard. Juste avant de servir, ajoutez la crème. Si la sauce est trop épaisse, ajoutez encore un peu de crème. Préchauffez le gril, ou préparez un barbecue.

6 ▲ Faites griller les filets de canard pendant 6 à 8 minutes, jusqu'à ce qu'ils soient saignants. La viande doit être rosée lorsque vous la coupez. Coupez-la en tranches et disposez-les sur des assiettes préchauffées. Servez avec la sauce chaude.

FAISAN RÔTI AUX BAIES DE GENIÈVRE

Fagiano arrosto

La cuisine italienne fait grand usage de la sauge et du genièvre pour parfumer le gibier. Essayez, c'est délicieux !

POUR 3 À 4 PERSONNES

INGRÉDIENTS

*1 faisan de 1,2 à 1,4 kg (2 ¹/2-3 lb),
    avec son foie finement haché*
3 cuillerées à soupe d'huile d'olive
2 brins de sauge fraîche
2 échalotes hachées
1 feuille de laurier
*2 quartiers de citron, plus 1 cuillerée à
    café de jus*
*2 cuillerées à soupe de baies de genièvre
    légèrement hachées*
Sel et poivre noir fraîchement moulu
*4 tranches fines de pancetta ou de
    petit salé*
6 cuillerées à soupe de vin blanc sec
*250 ml (1 tasse) de bouillon de poulet
    chaud*
*2 cuillerées à soupe de beurre à
    température ambiante*
2 cuillerées à soupe de farine
2 cuillerées à soupe de cognac

1 ▲ Rincez le faisan à l'eau froide. Égouttez-le bien puis séchez-le avec une feuille de papier absorbant. Badigeonnez-le avec 1 cuillerée à soupe d'huile d'olive. Mélangez le reste d'huile, les feuilles de sauge, les échalotes et la feuille de laurier dans une terrine. Ajoutez le jus de citron et les baies de genièvre, et mettez le faisan et les quartiers de citron dans la marinade. Laissez reposer plusieurs heures dans un endroit frais, en retournant le faisan de temps en temps. Retirez le citron.

2 Préchauffez le four à 180 °C (350°F). Mettez le faisan dans un plat à four, et réservez la marinade. Salez et poivrez l'intérieur du faisan et glissez-y la feuille de laurier.

3 Disposez quelques feuilles de sauge sur la poitrine du faisan, puis bardez-le avec les tranches de pancetta ou de petit salé. Ficelez-le.

4 ▲ Versez le reste de marinade sur le faisan et faites-le rôtir en comptant 30 minutes par livre. Arrosez-le souvent avec le jus de cuisson et le vin blanc. Transférez ensuite le faisan sur un plat de service, après avoir jeté la ficelle et la pancetta ou le petit salé.

5 Inclinez le plat et retirez le gras qui remonte à la surface. Versez le bouillon et déglacez le plat en raclant le fond. Ajoutez le foie de faisan si vous l'avez. Portez à ébullition et faites cuire 2 à 3 minutes. Filtrez et versez la sauce dans une casserole.

6 ▲ Réduisez le beurre en pommade avec la farine. Mélangez petit à petit à la sauce, en remuant bien pour éviter la formation de grumeaux. Retirez du feu, ajoutez le cognac et servez.

ESCALOPES DE VEAU AU MARSALA *Scaloppine di vitello con marsala*

Dans cette recette vite prête, la douceur du marsala relève agréablement la délicate saveur du veau.

POUR 4 PERSONNES

INGRÉDIENTS

*450 g (1 lb) d'escalopes de veau, de
préférence coupées en travers de la
fibre, de 5 mm (¹/4 po) d'épaisseur
environ
50 g (2 oz) de farine assaisonnée de sel
et de poivre noir fraîchement moulu
50 g (2 oz) de beurre
5 cuillerées à soupe de marsala sec
5 cuillerées à soupe de bouillon de
viande ou d'eau*

1 Attendrissez les escalopes de façon
à obtenir une épaisseur de 4 mm
(¹/4 po) environ. Si elles n'ont pas
été coupées en travers de la fibre ou
dans un seul muscle, faites des petites
entailles sur les bords pour qu'ils ne
frisottent pas à la cuisson.

2 ▲ Mettez la farine dans une assiette.
Chauffez le beurre dans une grande
poêle. Farinez légèrement les escalopes.
Dès que la mousse du beurre diminue,
disposez le veau dans la poêle en une
seule couche et faites-le revenir
rapidement des deux côtés. Retirez les
escalopes du feu et réservez-les.

3 ▲ Versez le marsala et le bouillon dans
la poêle. Faites réduire à feu moyen
pendant 3 à 4 minutes en raclant le
fond de la poêle. Versez la sauce sur la
viande et servez immédiatement.

✳ ESCALOPES DE VEAU AU JAMBON ET AU FROMAGE

Ce plat originaire de Bologne peut être préparé avec du parmesan ou du gruyère.

POUR 4 PERSONNES

INGRÉDIENTS

*8 escalopes de veau, soit 450 g (1 lb)
au total environ, de préférence
coupées en travers de la fibre
50 g (2 oz) de farine assaisonnée avec
du sel et du poivre noir fraîchement
moulu
2 cuillerées à soupe de beurre
2 cuillerées à soupe d'huile d'olive
3 cuillerées à soupe de vin blanc sec
8 petites tranches de jambon
50 g (2 oz) de parmesan râpé ou 8
petites tranches de gruyère*

1 Préchauffez le four à 200 °C
(400°F). Attendrissez les escalopes au
maillet. Si elles n'ont pas été coupées
en travers de la fibre ou dans un seul
muscle, pratiquez de petites entailles
sur les bords pour éviter qu'ils ne
frisottent à la cuisson. Mettez la
farine dans une assiette.

2 ▲ Chauffez le beurre et l'huile
dans une grande poêle. Farinez
légèrement les escalopes, puis
secouez-les pour éliminer l'excédent
de farine. Dès que la mousse du
beurre diminue, disposez le veau
dans la poêle sur une seule couche,
et faites rapidement revenir sur les
deux côtés. Retirez du feu et
disposez dans un plat à four.
Déglacez la poêle avec le vin, en
raclant le fond avec une cuillère en
bois. Versez la sauce sur les escalopes.

3 ▲ Disposez une tranche de jambon
sur chaque escalope, et saupoudrez
avec une cuillerée de parmesan râpé,
ou bien couvrez d'une tranche de
gruyère. Enfournez et laissez cuire
5 à 7 minutes, jusqu'à ce que le
fromage fonde. Servez chaud.

ne pas cuire le veau longtemps

VEAU À LA SAUCE AU THON

Vitello tonnato

Ce grand classique de l'été est encore meilleur lorsqu'il a été préparé à l'avance et réfrigéré quelques heures avant d'être servi. Vous pouvez le conserver jusqu'à 3 jours au réfrigérateur.

POUR 6 À 8 PERSONNES

INGRÉDIENTS
1 rôti de veau de 800 g (1 3/4 lb)
  sans os
1 carotte pelée
1 branche de céleri
1 petit oignon pelé et coupé en quatre
1 feuille de laurier
1 clou de girofle
1 cuillerée à café de grains de poivre
POUR LA SAUCE AU THON
400 g (14 oz) de thon en boîte, de
  préférence à l'huile
4 filets d'anchois
2 cuillerées à café de câpres rincées
  et égouttées
3 cuillerées à soupe de jus de citron frais
300 ml (1/4 de tasse) de mayonnaise
Sel et poivre noir fraîchement moulu
Câpres et cornichons, pour servir

3 Versez la purée de thon dans un saladier. Incorporez la mayonnaise. Vérifiez l'assaisonnement.

4 Coupez le veau en tranches aussi fines que possibles. Étalez un peu de sauce au thon au fond d'un plat.

5 Disposez une couche de tranches de rôti de veau sur la sauce. Couvrez avec de la sauce, puis de nouveau avec de la viande, et ainsi de suite, en terminant par une couche de sauce. Garnissez de câpres et de cornichons. Couvrez et réfrigérez.

1 Mettez le veau, les légumes et les aromates dans une casserole de taille moyenne (ni en aluminium, ni en cuivre). Recouvrez d'eau, portez à ébullition et laissez frémir 50 à 60 minutes. Ne faites pas trop cuire le veau, sinon il s'effritera lorsque vous le couperez. Laissez-le refroidir dans son liquide de cuisson pendant plusieurs heures.

2 Égouttez le thon. Mixez-le dans un robot ménager avec les anchois, les câpres et le jus de citron, jusqu'à obtention d'une pâte crémeuse. Si elle a l'air trop épaisse, ajoutez 2 à 3 cuillerées à soupe de bouillon de veau froid et mixez de nouveau.

OSSO-BUCO À LA MILANAISE

Ossobuco alla milanese

Ossobuco signifie « os creux », et ce plat est composé d'un morceau de jarret de veau dont chaque portion d'os se doit de contenir sa part de moelle.

POUR 4 PERSONNES

INGRÉDIENTS
50 g (2 oz) de beurre
1 gousse d'ail hachée
4 morceaux de jarret de veau
   de 5 cm (2 po) d'épaisseur environ
Farine
Sel et poivre noir fraîchement moulu
250 ml (1 tasse) de vin blanc sec
300 ml (1 1/4 tasse) de bouillon de
   viande ou de poulet
1 feuille de laurier
1 brin de thym frais ou 1/4 de cuillerée
   à café de thym séché

POUR LA GREMOLATA
1 petite gousse d'ail
2 cuillerées à soupe de persil frais haché
1 cuillerée à café de zeste de citron
   haché
1/2 filet d'anchois (facultatif)

1 Préchauffez le four à 160 °C (325°F). Chauffez le beurre avec la gousse d'ail hachée dans une cocotte à four assez grande pour contenir toute la viande disposée en une seule couche. Farinez légèrement le veau. Mettez-le dans la cocotte et faites-le revenir d'un côté, puis de l'autre. Salez et poivrez. Jetez l'ail.

2 ▲ Ajoutez le vin et faites cuire à feu moyen à vif pendant 3 à 4 minutes, en retournant la viande plusieurs fois. Ajoutez le bouillon, la feuille de laurier et le thym. Couvrez et mettez au milieu du four. Laissez cuire 2 heures.

3 ▲ Pendant ce temps, préparez la gremolata : mélangez l'ail, le persil, le zeste de citron et éventuellement le filet d'anchois sur une planche, puis hachez le tout très finement.

4 ▲ Deux heures plus tard, sortez la cocotte du four. Goûtez la sauce pour vérifier l'assaisonnement. Saupoudrez de gremolata, mélangez bien et remettez la cocotte au four pendant une dizaine de minutes. Servez.

CÔTES DE VEAU À LA MILANAISE ~ *Costolette alla milanese*

Le secret de ce grand classique tient dans le soin apporté à la cuisson au beurre des côtes de veau.

POUR 2 PERSONNES

INGRÉDIENTS
2 côtes de veau avec l'os
1 œuf
Sel et poivre noir fraîchement moulu
6 à 8 cuillerées à soupe de chapelure
50 g de beurre
1 cuillerée à soupe d'huile végétale
1 citron coupé en quartiers, pour servir

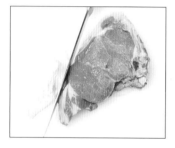

1 Enlevez les os et le gras des côtes de veau, et attendrissez légèrement la viande au maillet pour l'aplatir.

2 ▲ Battez l'œuf dans un bol, salez et poivrez. Étalez la chapelure dans une assiette. Trempez les côtes dans l'œuf battu, puis enrobez-les de chapelure, en tapotant pour qu'elle adhère bien.

LE CONSEIL DU CHEF

Les cuisiniers milanais font parfois tremper les côtes de veau dans du lait pendant 1 heure pour attendrir la viande.

3 ▲ Chauffez le beurre et l'huile dans une poêle assez grande pour contenir les deux côtes sans qu'elles se chevauchent. Ne laissez pas roussir les matières grasses. Mettez les côtes dans la poêle et faites-les cuire lentement à feu doux, jusqu'à ce que la chapelure soit dorée et la viande cuite. La durée de la cuisson dépend de l'épaisseur des côtes. Le risque est de faire trop cuire la chapelure sans que la viande soit cuite pour autant. Soyez vigilant. Servez chaud avec du citron.

ROULÉS DE VEAU À LA SAUGE ~ *Saltimbocca*

Ces petits roulés sont si bons que, comme le suggère leur nom italien, ils « sautent dans la bouche ».

POUR 3 À 4 PERSONNES

INGRÉDIENTS
8 petites escalopes de veau
8 petites tranches de jambon cru
8 feuilles de sauge fraîche
Sel et poivre noir fraîchement moulu
40 g de beurre
10 cl de bouillon de viande chaud

1 Attendrissez doucement la viande au maillet. Placez une tranche de jambon sur chaque escalope, puis une feuille de sauge. Salez et poivrez. Roulez les escalopes et fermez-les avec un cure-dents en bois.

2 ▲ Chauffez la moitié du beurre dans une poêle assez grande pour contenir les roulés sur une seule couche. Lorsque le beurre mousse, ajoutez le veau, en retournant régulièrement les roulés pour les faire dorer sur tous les côtés. Faites-les cuire 7 à 10 minutes, puis retirez-les et réservez-les.

3 ▲ Ajoutez le reste de beurre et le bouillon chaud. Portez à ébullition en raclant le fond de la poêle avec une cuillère en bois. Versez la sauce sur les roulés de veau, retirez les cure-dents et servez.

STEAK À LA PIZZAIOLA

Bistecchine alla pizzaiola

Cette recette est originaire de Naples, où la sauce tomate est partout, depuis la pizza jusqu'aux plats de viande.

POUR 4 PERSONNES

INGRÉDIENTS

450 g (1 lb) de steak de bœuf, coupé
en tranches fines
3 cuillerées à soupe de farine
3 cuillerées à soupe d'huile d'olive
3 gousses d'ail hachées
400 g (14 oz) de tomates en boîte,
passées au presse-purée, avec leur jus
2 cuillerées à soupe de basilic frais haché
Sel et poivre noir fraîchement moulu

1 Enlevez toute trace de gras des
steaks et faites des petites entailles sur
les bords pour qu'ils ne frisottent pas
à la cuisson. Séchez-les avec une
feuille de papier absorbant et farinez-
les légèrement.

2 ▲ Dans une grande poêle ou
sauteuse, chauffez 2 cuillerées à
soupe d'huile avec les gousses d'ail.
Dès qu'elles sont dorées, montez le
feu, et ajoutez les steaks. Faites-les
revenir rapidement des deux côtés.
Retirez la viande et réservez-la.

3 ▲ Mettez les tomates, le reste
d'huile et les aromates dans la poêle.
Faites cuire à feu moyen pendant
15 minutes environ. Jetez les gousses
d'ail. Remettez les steaks dans la
poêle, remuez pour bien les enrober
de sauce et poursuivez la cuisson 3 à
4 minutes.

STEAKS HACHÉS AUX HERBES

Polpette

Servez ces steaks hachés avec une bonne sauce tomate, et vous m'en direz des nouvelles !

POUR 4 PERSONNES

INGRÉDIENTS

750 g (1 1/2 lb) de bœuf maigre haché
1 gousse d'ail finement hachée
1 oignon nouveau très finement haché
3 cuillerées à soupe de basilic frais haché
2 cuillerées à soupe de persil frais haché
Sel et poivre noir fraîchement moulu
40 g (1 1/2 oz) de beurre

POUR LA SAUCE TOMATE

3 cuillerées à soupe d'huile d'olive
1 oignon moyen finement haché
300 g (11 oz) de tomates concassées
Quelques feuilles de basilic frais
3 à 4 cuillerées à soupe d'eau
1 cuillerée à soupe de sucre
1 cuillerée à soupe de vinaigre de vin blanc
Sel et poivre noir fraîchement moulu

2 Ajoutez l'eau, le sucre et le
vinaigre, et poursuivez la cuisson 2 à
3 minutes. Salez, poivrez. Retirez
du feu et laissez refroidir légèrement.
Passez ensuite la sauce au presse-
purée ou à la passoire.

1 Préparez la sauce tomate : chauffez
l'huile et faites doucement revenir
l'oignon. Ajoutez les tomates, faites
cuire 2 à 3 minutes, puis ajoutez le
basilic et couvrez. Faites alors cuire
7 à 8 minutes à feu moyen.

3 ▲ Mélangez la viande avec l'ail,
l'oignon nouveau et les aromates
hachés dans un saladier. Salez et
poivrez. Formez quatre galettes, en
manipulant la viande délicatement.

4 ▲ Chauffez le beurre dans une
poêle. Lorsque la mousse diminue,
ajoutez les galettes et faites-les cuire
à feu moyen jusqu'à ce que le
dessous brunisse. Retournez-les, et
poursuivez la cuisson. Une fois les
galettes cuites, réservez-les.

5 Inclinez la poêle et retirez le gras qui
stagne en surface. Versez la sauce
tomate, montez le feu, et portez à
ébullition en raclant le fond de la
poêle avec une cuillère en bois. Servez
les galettes nappées de cette sauce.

BOULETTES DE VIANDE

Polpettine

Vous pouvez servir ces boulettes seules, ou bien avec des pâtes ou du riz. Elles sont également bonnes froides.

POUR 3 À 4 PERSONNES
EN PLAT PRINCIPAL

INGRÉDIENTS

2 cuillerées à soupe de cèpes séchés
150 ml (2/3 de tasse) d'eau chaude
450 g (1 lb) de bœuf haché
2 gousses d'ail finement hachées
4 cuillerées à soupe de persil frais haché
3 cuillerées à soupe de basilic frais haché
1 œuf
6 cuillerées à soupe de chapelure
*2 cuillerées à soupe de parmesan frais
    râpé*
Sel et poivre noir fraîchement moulu
4 cuillerées à soupe d'huile d'olive
1 oignon moyen très finement haché
50 ml (1/4 de tasse) de vin blanc sec
Persil frais haché, pour garnir

1 Faites tremper les champignons séchés dans l'eau chaude pendant 15 minutes, puis sortez-les de l'eau et hachez-les finement. Filtrez l'eau de trempage avec une feuille de papier absorbant et réservez-la.

2 ⚜ Dans une terrine, mélangez la viande avec les champignons, l'ail et les aromates hachés. Ajoutez l'œuf battu, puis la chapelure et le parmesan râpé. Salez et poivrez. Formez des boulettes de 3,5 cm (1 1/2 po) de diamètre environ.

3 ⚜ Dans une grande poêle, chauffez l'huile et faites revenir l'oignon à feu doux. Montez le feu et ajoutez les boulettes de viande, en les faisant rouler pour les faire cuire de façon uniforme. Au bout de 5 minutes environ, ajoutez l'eau de trempage des champignons. Poursuivez la cuisson 5 à 8 minutes supplémentaires.

4 ⚜ Retirez les boulettes du feu avec une spatule ajourée ou une écumoire et mettez-les sur un plat préchauffé. Ajoutez le vin dans la poêle et déglacez pendant 1 à 2 minutes en raclant le fond. Versez la sauce sur les boulettes, parsemez de persil haché et servez immédiatement.

Ragoût de Bœuf au Vin   *Spezzatino di manzo con vino rosso*

Un plat riche que vous servirez avec une bonne purée de pommes de terre ou de la polenta.

Pour 6 Personnes

Ingrédients

5 cuillerées à soupe d'huile d'olive
1,2 kg (2 ¹/2 lb) de bœuf sans os,
    coupé en morceaux de 3 cm
    (1 ¹/2 po) environ
1 oignon moyen très finement émincé
2 carottes émincées
1 gousse d'ail hachée
3 cuillerées à soupe de persil frais haché
1 feuille de laurier
Quelques brins de thym frais
1 pincée de muscade râpée
250 ml (1 tasse) de vin rouge
400 g (14 oz) de tomates en boîte,
    concassées, avec leur jus
100 ml (¹/2 tasse) de bouillon de poulet
15 olives noires environ, dénoyautées
    et coupées en deux
Sel et poivre noir fraîchement moulu
1 gros poivron rouge coupé en lamelles

1 Préchauffez le four à 180 °C (350°F). Chauffez 3 cuillerées à soupe d'huile dans une grande cocotte. Faites revenir la viande petit à petit, en la retournant fréquemment pour que tous les côtés soient saisis. Retirez du feu et réservez, jusqu'à ce que toute la viande soit revenue.

2 Ajoutez ensuite le reste d'huile dans la cocotte, avec l'oignon et les carottes. Faites revenir à feu doux jusqu'à ce que l'oignon ramollisse, puis ajoutez l'ail et le persil, et poursuivez la cuisson 3 à 4 minutes.

3 ▲ Remettez la viande dans la cocotte, montez le feu et mélangez bien. Ajoutez la feuille de laurier, le thym et la muscade. Arrosez avec le vin, portez à ébullition et faites cuire en remuant 4 à 5 minutes. Ajoutez les tomates, le bouillon et les olives. Mélangez bien, salez et poivrez. Couvrez et mettez au centre du four préchauffé. Faites cuire 1 h 30.

4 ▲ Sortez la cocotte du four. Ajoutez les lamelles de poivron, puis remettez au four sans couvrir 30 minutes supplémentaires, jusqu'à ce que le bœuf soit bien tendre.

GIGOT D'AGNEAU AUX HERBES   *Arrosto d'agnello con erbe e aglio*

Ce plat est originaire du Sud de l'Italie, où l'on fait volontiers rôtir l'agneau avec de l'ail et des aromates.

POUR 4 À 6 PERSONNES

INGRÉDIENTS
1 gigot d'agneau de 1,5 kg (3 lb)
3 à 4 cuillerées à soupe d'huile d'olive
4 gousses d'ail pelées et coupées en deux
2 brins de sauge fraîche ou 1 pincée de sauge séchée
2 brins de romarin frais ou 1 cuillerée à café de romarin séché
2 feuilles de laurier
2 brins de thym frais, ou 1/2 cuillerée à café de feuilles de thym séchées
Sel et poivre noir fraîchement moulu
175 ml (3/4 de tasse) de vin blanc sec

1 Enlevez tout amas de graisse du gigot et badigeonnez-le d'huile d'olive. Avec un couteau pointu, pratiquez des petites entailles sous la peau sur tout le gigot, et glissez-y des morceaux d'ail ou quelques aromates (si vous utilisez des herbes séchées, saupoudrez-en plutôt la viande).

2 Répartissez le reste des aromates frais sur la viande et laissez-la reposer au moins 2 heures dans un endroit frais avant de la faire cuire. Préchauffez le four à 190 °C (375°F).

3 ⬥ Mettez le gigot dans un plat à four et disposez les aromates tout autour. Arrosez avec 2 cuillerées à soupe d'huile, salez, poivrez et enfournez. Faites rôtir la pièce de viande
35 minutes.

4 ⬥ Versez le vin sur l'agneau. Poursuivez la cuisson pendant 15 minutes, jusqu'à ce que la viande soit cuite. Retirez du four, puis mettez le gigot sur un plat de service préchauffé. Inclinez le plat à four, retirez le gras qui stagne en surface. Versez le jus de cuisson dégraissé dans une saucière. Coupez le gigot et servez-le avec le jus de cuisson proposé à discrétion.

RAGOÛT D'AGNEAU À LA TOMATE   *Spezzatino d'agnello*

Ce ragoût aux accents rustiques est originaire du plateau des Pouilles, où les moutons paissent à côté des vignobles.

POUR 5 À 6 PERSONNES

INGRÉDIENTS
2 grosses gousses d'ail
1 brin de romarin frais ou 3 cuillerées à soupe de persil frais haché
6 cuillerées à soupe d'huile d'olive
Farine assaisonnée de poivre noir fraîchement moulu
1,3 kg (2 1/2 lb) d'agneau dégraissé et coupé en morceaux
175 ml (3/4 de tasse) de vin blanc sec
2 cuillerées à café de sel
450 g (1 lb) de tomates fraîches ou 400 g (14 oz) de tomates en boîte, concassées
100 ml (1/2 tasse) de bouillon de viande

1 Préchauffez le four à 180 °C (350°F). Hachez l'ail avec le romarin, si vous en utilisez. Chauffez 4 cuillerées à soupe d'huile dans une grande cocotte.

2 Ajoutez l'ail et le romarin ou le persil et faites revenir à feu moyen, jusqu'à ce que l'ail soit doré.

3 ⬥ Farinez l'agneau, puis mettez les morceaux de viande dans la cocotte sur une seule couche, en les retournant régulièrement pour les faire revenir de tous les côtés. Réservez-les et faites revenir le reste d'agneau.

4 ⬥ Lorsque tout l'agneau est revenu, remettez-le dans la cocotte avec le vin. Montez le feu et portez à ébullition en raclant le fond de la cocotte. Salez, puis ajoutez les tomates et le bouillon. Mélangez bien. Couvrez et mettez au milieu du four. Faites cuire 1 h 45 à 2 heures, jusqu'à ce que la viande soit bien tendre.

RÔTI DE PORC AUX CAROTTES

Lonza con carote

Cette façon de préparer un rôti de porc, qui donne une sauce crémeuse à souhait, est originaire de la Vénétie Euganéenne.

POUR 4 À 5 PERSONNES

INGRÉDIENTS
750 g (1 ¹/₂ lb) de rôti de porc maigre
3 cuillerées à soupe d'huile d'olive
2 cuillerées à soupe de beurre
1 petit oignon finement haché
1 branche de céleri finement hachée
8 carottes coupées en bâtonnets
   de 5 cm (2 po) de long
2 feuilles de laurier
1 cuillerée à soupe de grains de poivre
Sel
500 ml (2 tasses) de lait très chaud

1 ▲ Enlevez tout amas de graisse du rôti, et ficelez-le.

2 ▲ Préchauffez le four à 180 °C (350°F). Chauffez l'huile et le beurre dans une grande cocotte. Ajoutez les légumes et faites cuire à feu doux 8 à 10 minutes, jusqu'à ce qu'ils soient tendres. Montez le feu et ajoutez le rôti. Faites-le revenir de tous les côtés, puis ajoutez les feuilles de laurier et les grains de poivre. Salez.

3 ▲ Versez dessus le lait bouillant. Couvrez la cocotte et mettez-la au milieu du four. Faites cuire 1 h 30 environ, en retournant le rôti et en l'arrosant de son jus toutes les 20 minutes environ. Retirez le couvercle pendant les vingt dernières minutes de cuisson.

4 ▲ Sortez la viande de la cocotte, et retirez la ficelle. Mettez la viande sur un plat de service et coupez-la en tranches.

VARIANTE

Vous pouvez remplacer le porc par un rôti de veau sans os. Ce plat est aussi bon servi chaud que froid.

5 ▲ Jetez les feuilles de laurier. Écrasez environ un tiers des carottes avec tout le liquide de cuisson dans une passoire. Disposez les carottes restantes autour du rôti.

6 ▲ Mettez la sauce dans une petite casserole. Vérifiez l'assaisonnement et portez à ébullition. Si elle paraît trop liquide, faites-la réduire légèrement quelques minutes. Servez la viande avec les carottes et proposez la sauce à part.

FILET DE PORC AUX CÂPRES *Fettine di maiale con salsa di capperi*

Vous pouvez préparer la sauce aux câpres à l'avance et la faire réchauffer après avoir fait sauter le porc.

POUR 4 À 5 PERSONNES

INGRÉDIENTS
1 filet de porc de 450 g (1 lb), coupé
en tranches fines
Farine assaisonnée de poivre noir
2 cuillerées à soupe de beurre
2 cuillerées à soupe d'huile d'olive
POUR LA SAUCE AUX CÂPRES
2 cuillerées à soupe d'huile d'olive
50 g (2 oz) de beurre
1/2 petit oignon très finement haché
1 filet d'anchois rincé et haché
1 cuillerée à soupe de farine
2 cuillerées à soupe de câpres rincées
1 cuillerée à soupe de persil frais haché
4 cuillerées à soupe de vinaigre de vin
4 cuillerées à soupe d'eau
4 cuillerées à soupe de vinaigre balsamique

1 Préparez la sauce : chauffez l'huile avec 2 cuillerées à soupe de beurre dans une petite casserole (pas en aluminium) et faites revenir l'oignon à feu doux. Lorsqu'il a ramolli, ajoutez l'anchois, et écrasez-le avec une cuillère en bois.

2 Ajoutez la farine et, lorsqu'elle est bien incorporée, les câpres et le persil. Versez le vinaigre de vin et l'eau, en remuant pour que la sauce épaississe. Juste avant de servir, ajoutez 2 cuillerées à soupe de beurre et le vinaigre balsamique.

3 Pendant ce temps, aplatissez les filets de porc avec un maillet, puis farinez-les légèrement.

4 Chauffez 2 cuillerées à soupe de beurre et l'huile dans une grande poêle. Lorsque les matières grasses sont bien chaudes, ajoutez les tranches de filet sur une seule couche. Faites-les revenir des deux côtés pendant 5 à 6 minutes. Disposez-les ensuite sur un plat préchauffé et faites revenir les tranches de filet restantes. Servez très chaud, avec la sauce en accompagnement.

CÔTES DE PORC AUX CHAMPIGNONS

Ajouter quelques cèpes secs parfume davantage encore les champignons de couche frais.

POUR 4 PERSONNES

INGRÉDIENTS
3 cuillerées à soupe de cèpes séchés, que
vous ferez tremper dans 250 ml (1 tasse)
d'eau chaude, puis égoutterez
(gardez l'eau de trempage)
75 g (3 oz) de beurre
2 gousses d'ail hachées
300 g (11 oz) de champignons de
couche frais finement émincés
Sel et poivre noir fraîchement moulu
1 cuillerée à soupe d'huile d'olive
4 côtes de porc
1/2 cuillerée à café de feuilles de thym
frais, ou 1 pincée de thym séché
100 ml (1/2 tasse) de vin blanc sec
75 ml (1/3 de tasse) de crème liquide

1 Filtrez l'eau de trempage des champignons séchés avec une feuille de papier absorbant et réservez. Faites fondre les deux tiers du beurre dans une grande poêle. Ajoutez l'ail. Lorsque la mousse diminue, jetez tous les champignons. Salez, poivrez et faites cuire 8 à 10 minutes à feu moyen, jusqu'à ce que les champignons aient rendu leur liquide.

2 Retirez les champignons de la poêle et réservez-les. Ajoutez le reste de beurre et l'huile dans la poêle. Une fois chauds, ajoutez les côtes de porc en évitant qu'elles ne se chevauchent et saupoudrez-les de thym. Faites cuire à feu moyen, environ 3 minutes par face. Baissez le feu, et poursuivez la cuisson 15 à 20 minutes. Retirez du feu et disposez sur un plat préchauffé.

3 Jetez le gras de la poêle. Versez-y le vin et l'eau de trempage des champignons. Faites réduire de moitié environ, en remuant pour racler le fond de la poêle. Ajoutez les champignons et la crème, et faites cuire 4 à 5 minutes supplémentaires. Servez les côtes nappées de sauce.

FOIE DE VEAU AUX OIGNONS

Fegato alla veneziana

Ce classique vénitien est excellent servi avec de la polenta grillée. Faites cuire les oignons très doucement pour faire ressortir leur saveur sucrée.

POUR 6 PERSONNES

INGRÉDIENTS
75 g (3 oz) de beurre
3 cuillerées à soupe d'huile d'olive
750 g (1 1/2 lb) d'oignons très
    finement émincés
Sel et poivre noir fraîchement moulu
800 g (1 3/4 lb) de foie de veau coupé
    en tranches fines
3 cuillerées à soupe de persil frais
    finement haché, pour garnir
Polenta grillée, pour servir (facultatif)

1 ▲ Chauffez les deux tiers du beurre avec l'huile dans une grande poêle à fond épais. Ajoutez les oignons et faites-les revenir à feu doux 40 à 50 minutes environ. Salez, poivrez puis réservez.

2 ▲ Chauffez le reste de beurre à feu moyen. Lorsqu'il a cessé de mousser, ajoutez le foie de veau et saisissez-le des deux côtés. Faites cuire 5 minutes environ, puis réservez sur un plat préchauffé.

3 ▲ Remettez les oignons dans la poêle. Montez légèrement le feu et remuez les oignons pour les mélanger au jus de cuisson du foie.

4 ▲ Lorsque les oignons sont chauds, mettez-les sur un plat de service préchauffé. Disposez les tranches de foie dessus, et saupoudrez le tout de persil haché. Servez avec de la polenta grillée par exemple.

LAPIN À LA TOMATE

Coniglio con pomodori

Le lapin est un plat très populaire en Italie, où on le prépare de multiples façons. En voici une plutôt rustique.

POUR 4 À 5 PERSONNES

INGRÉDIENTS

1 lapin de 750 g (1 ¹/2 lb) , découpé
  en morceaux
2 gousses d'ail finement émincées
115 g (4 oz) de pancetta ou de petit
  salé coupés en fines tranches
750 g (1 ¹/2 lb) de tomates pelées,
  égrenées
  et grossièrement concassées
3 cuillerées à soupe de basilic frais
Sel et poivre noir fraîchement moulu
4 cuillerées à soupe d'huile d'olive

3 ▲ Versez une couche de sauce tomate au fond d'un plat à four. Disposez les morceaux de lapin dessus. Arrosez d'huile d'olive et enfournez sans couvrir. Faites rôtir 40 à 50 minutes.

4 ▲ Arrosez le lapin de temps en temps avec le jus de cuisson. Après 25 minutes de cuisson, vous pouvez couvrir le plat avec une feuille de papier aluminium si vous avez l'impression que la sauce s'évapore trop.

1 ▲ Préchauffez le four à 200 °C (400°F). Séchez les morceaux de lapin avec une feuille de papier absorbant. Posez une lamelle d'ail sur chaque morceau, puis enveloppez-le avec une tranche de pancetta ou de petit salé.

2 ▲ Faites cuire les tomates dans une casserole pendant quelques minutes, jusqu'à ce qu'elles aient rendu un peu de jus et commencent à se dessécher. Ajoutez le basilic, salez et poivrez.

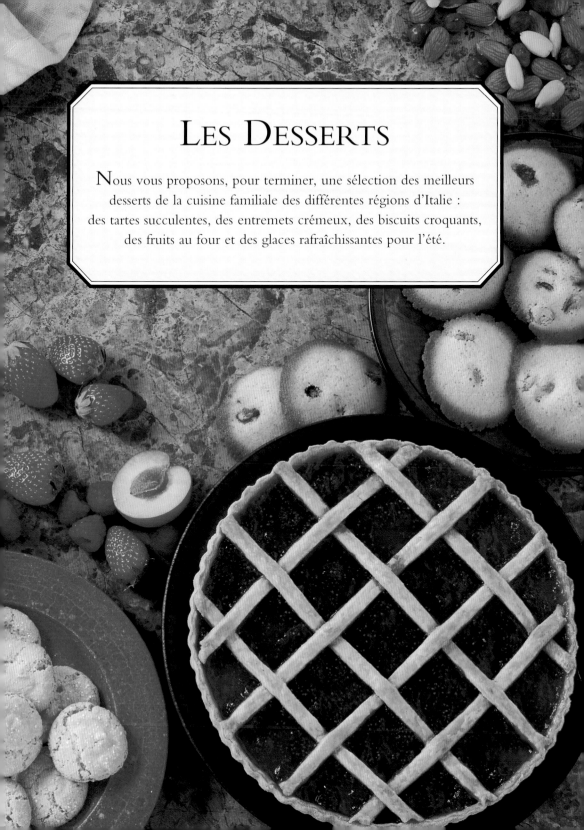

LES DESSERTS

Nous vous proposons, pour terminer, une sélection des meilleurs
desserts de la cuisine familiale des différentes régions d'Italie :
des tartes succulentes, des entremets crémeux, des biscuits croquants,
des fruits au four et des glaces rafraîchissantes pour l'été.

Tiramisu

Tiramisù

Tiramisu signifie « porte-moi », et c'est justement l'effet de ce délicieux dessert au café.

Pour 6 à 8 Personnes

Ingrédients
500 g (1 lb 2 oz) de mascarpone
5 œufs, les blancs séparés des jaunes,
    à température ambiante
100 g (3 1/2 oz) de sucre en poudre
1 pincée de sel
Boudoirs ou biscuits à la cuillère, pour
    garnir le fond du plat
100 ml (1/2 tasse) de café expresso bien fort
4 cuillerées à soupe (de cognac ou de
    rhum (facultatif)
Cacao en poudre, pour saupoudrer

1 Battez le mascarpone dans une terrine. Dans un autre saladier, battez les jaunes d'œufs avec le sucre (réservez-en une cuillerée à soupe), jusqu'à ce que le mélange soit pâle et mousseux. Incorporez peu à peu le mascarpone battu.

2 ▲ Avec un batteur électrique ou un fouet, battez les blancs d'œufs en neige ferme avec la pincée de sel. Incorporez les blancs en neige dans le mélange à base de mascarpone.

3 Garnissez le fond d'un ou plusieurs plats avec des boudoirs. Ajoutez au café le reste de sucre et l'alcool, si vous en utilisez.

4 ▲ Arrosez les biscuits de café, de façon à les imbiber sans les détremper. Nappez-les de la moitié du mélange à base d'œufs. Couvrez avec une seconde couche de biscuits imbibés de café, que vous napperez du reste de crème. Saupoudrez de cacao. Mettez au réfrigérateur pendant au moins 1 heure (plus de préférence) avant de servir.

Sabayon

Zabaione

Cette crème aux œufs très légère, parfumée avec un vin doux, se déguste souvent chaude avec des biscuits.

Pour 3 à 4 Personnes

Ingrédients
3 jaunes d'œufs
3 cuillerées à soupe de sucre en poudre
5 cuillerées à soupe de marsala ou de
    vin blanc doux
1 zeste d'orange râpé

1 Battez les jaunes d'œufs avec le sucre dans un bol, jusqu'à ce que le mélange mousse et pâlisse. Ajoutez ensuite le marsala ou le vin.

2 Mettez le récipient au-dessus d'une casserole d'eau bouillante, et continuez à fouetter le mélange pendant 6 à 8 minutes, jusqu'à ce que la crème forme une masse légère, mousseuse et enrobe uniformément le dos d'une cuillère. Veillez à ce que le récipient supérieur ne soit pas en contact avec l'eau chaude, sinon le sabayon risquerait de cailler.

3 Ajoutez le zeste d'orange et servez immédiatement.

Le conseil du chef

Vous pouvez ajouter à votre sabayon une petite cuillerée à café de cannelle en poudre.

ZUPPA INGLESE

Contrairement à ce que son nom laisse supposer, ce dessert très crémeux n'a rien d'un potage anglais !

POUR 6 À 8 PERSONNES

INGRÉDIENTS
500 ml (2 tasses) de lait
Zeste de 1/2 citron bien lavé
4 jaunes d'œufs
75 g (3 oz) de sucre en poudre
50 g (2 oz) de farine tamisée
1 cuillerée à soupe de rhum ou de cognac
2 cuillerées à soupe de beurre
200 g (7 oz) de biscuit de Savoie ou
*   boudoirs, ou 300 g (11 oz) de*
*   génoise coupée en tranches de 1 cm*
*   (1/2 po) d'épaisseur environ*
75 ml de liqueur d'alkermès ou de cherry
75 ml de liqueur de strega
3 cuillerées à soupe de confiture d'abricot
Chantilly fraîche, pour garnir
Noisettes ou amandes grillées hachées,
*   pour garnir*

1 Chauffez le lait avec le zeste de
citron dans une petite casserole.
Retirez du feu dès que des petites
bulles apparaissent à la surface.

2 ▲ Ajoutez les jaunes d'œufs et
battez-les au fouet. Incorporez ensuite
le sucre et continuez à fouetter le
mélange, jusqu'à ce qu'il soit jaune
pâle. Ajoutez la farine, puis versez le
lait petit à petit à travers une passoire
pour éliminer le zeste de citron. Une
fois tout le lait incorporé, versez le
mélange dans une cocotte. Portez à
ébullition en fouettant constamment.
Laissez frémir 5 à 6 minutes en
remuant sans cesse. Retirez du feu et
ajoutez le rhum ou le cognac.
Incorporez le beurre. Laissez refroidir,
en remuant pour empêcher la
formation d'une peau.

3 ▲ Badigeonnez les biscuits ou la
génoise de liqueur d'alkermès ou de
cherry d'un côté, et de liqueur de
strega de l'autre. Garnissez le fond
d'un plat avec une fine couche de
crème, puis une couche de biscuits
ou de tranches de génoise. Nappez
de crème, et ajoutez une seconde
couche de biscuits imbibés de
liqueur.

4 ▲ Chauffez la confiture d'abricot
dans une petite casserole avec
2 cuillerées à soupe d'eau. Une fois
le mélange chaud, badigeonnez-en
les biscuits. Continuez à alterner
couches de crème et de biscuits
jusqu'à épuisement des ingrédients,
en terminant par une couche de
crème. Couvrez avec un film
plastique ou du papier aluminium,
et mettez au réfrigérateur au moins
2 à 3 heures. Pour servir, décorez
avec de la chantilly et des amandes
ou noisettes grillées hachées.

GÂTEAU AUX MARRONS   *Budino di castagne*

En octobre et novembre, on trouve beaucoup de châtaignes dans les régions montagneuses de la péninsule italienne.

POUR 4 À 5 PERSONNES

INGRÉDIENTS
450 g (1 lb) de châtaignes fraîches
300 ml (1 1/4 tasse) de lait
115 g (4 oz) de sucre en poudre
2 œufs, les blancs séparés des jaunes,
*   à température ambiante*
25 g (1 oz) de cacao en poudre
1/2 cuillerée à café d'essence de vanille
50 g (2 oz) de sucre glace tamisé
Beurre pour le ou les moules
Chantilly fraîche, pour garnir
Marrons glacés, pour garnir

1 Faites une entaille en X sur le côté des châtaignes et jetez-les dans une casserole d'eau bouillante. Faites-les cuire 5 à 6 minutes. Retirez-les de l'eau et pelez-les aussitôt.

4 ▲ Dans un autre récipient, battez les blancs d'œufs en neige ferme avec un fouet métallique ou un batteur électrique. Incorporez peu à peu le sucre glace tamisé et continuez à fouetter, jusqu'à ce que le mélange soit bien ferme.

5 ▲ Mélangez délicatement les châtaignes aux jaunes d'œufs. Incorporez ensuite les blancs battus en neige. Versez le mélange dans un ou plusieurs moules beurrés. Mettez-les sur une plaque à pâtisserie et enfournez pendant 10 minutes avant de démouler. Servez garni de chantilly et de marrons glacés.

2 ▲ Mettez les châtaignes pelées dans une casserole, avec le lait et la moitié du sucre en poudre. Faites cuire à feu doux en remuant de temps en temps, jusqu'à ce que les châtaignes soient tendres. Retirez du feu et laissez refroidir. Écrasez le contenu de la casserole dans le fond d'une passoire.

3 Préchauffez le four à 180 °C (350°F). Battez les jaunes d'œufs avec le reste de sucre en poudre, jusqu'à ce que le mélange soit pâle et mousseux. Incorporez le cacao et la vanille.

SALADE DE FRUITS

Macedonia

Une bonne salade de fruits frais est un dessert très rafraîchissant. En Italie, elle est toujours arrosée de jus d'orange et de citron frais.

POUR 4 À 6 PERSONNES

INGRÉDIENTS
Jus de 3 grosses oranges douces
Jus de 1 citron
1 banane
*115 g (4 oz) de fruits rouges (fraises,
    framboises, etc.)*
1 à 2 pommes
1 poire mûre
2 pêches ou nectarines
4 à 5 abricots ou prunes
115 g (4 oz) de raisin noir ou blanc
Tout fruit de saison
*2 à 3 cuillerées à soupe de kirsch, de
    marasquin ou autre liqueur (facultatif)*

1 Versez les jus d'orange et de citron frais dans un grand saladier.

2 ▲ Préparez les fruits : lavez-les, pelez-les si besoin est, puis coupez-les en petits morceaux. Coupez les grains de raisin en deux et retirez les pépins. Épépinez les pommes et la poire et coupez-les en tranches. Retirez les noyaux des pêches, nectarines, abricots et prunes et coupez-les en tranches. Laissez les fruits rouges entiers. Mettez-les dans le saladier.

3 ▲ Goûtez la salade et ajoutez du sucre si besoin est. Vous pouvez également ajouter quelques cuillerées de liqueur. Couvrez et réfrigérez pendant au moins 2 heures. Mélangez bien avant de servir. En Italie, on mange la salade de fruits seule, avec de la glace à la vanille ou avec un sabayon.

POMMES AU FOUR

Mele al forno

En Italie, les pommes au four sont garnies d'une délicieuse farce à base de raisins secs et de vin rouge aux épices.

POUR 6 PERSONNES

INGRÉDIENTS
65 g (2 1/2 oz) de raisins secs
350 ml (1 1/2 tasse) de vin rouge
1 pincée de muscade râpée
1 pincée de cannelle en poudre
4 cuillerées à soupe de sucre en poudre
1 zeste de citron râpé
6 pommes de la même taille
3 cuillerées à soupe de beurre

1 Dans un grand bol, mélangez les raisins et le vin. Ajoutez les épices, le sucre et le zeste de citron. Laissez reposer 1 heure.

2 Préchauffez le four à 190 °C (375°F). Lavez les pommes. Avec un vide-pomme ou un petit couteau bien pointu, retirez le cœur des pommes sans en percer le fond.

3 ▲ Répartissez les raisins secs marinés dans les six pommes, et ajoutez un peu de vin parfumé.

4 ▲ Disposez les pommes dans un plat à four beurré. Versez le reste de vin autour des pommes. Posez une noisette de beurre sur chaque pomme. Faites cuire 40 à 50 minutes, jusqu'à ce que les pommes soient tendres mais ne s'écrasent pas. Servez chaud ou à température ambiante.

GÂTEAU AU CITRON ET À LA RICOTTA *Torta di limone e ricotta*

Voici une recette sarde qui donne un résultat fort différent des gâteaux au fromage blanc d'Europe du Nord.

POUR 6 À 8 PERSONNES

INGRÉDIENTS
75 g (3 oz) de beurre
170 g (6 oz) de sucre en poudre
75 g (3 oz) de ricotta
3 œufs, les blancs séparés des jaunes
175 g (6 oz) de farine
Zeste de 1 citron
3 cuillerées à soupe de jus de citron frais
1 1/2 cuillerée à café de levure chimique
Sucre glace, pour la décoration

1 Beurrez un moule à manqué de 22 cm (9 po) de diamètre. Garnissez-en le fond d'une feuille de papier sulfurisé. Beurrez le papier et farinez-le. Réservez. Préchauffez le four à 180 °C (350°F).

2 Réduisez le beurre en pommade avec le sucre. Incorporez ensuite la ricotta.

3 Battez les jaunes d'œufs et incorporez-les. Ajoutez 2 cuillerées à soupe de farine, le zeste et le jus de citron. Tamisez la levure et ajoutez-la au reste de farine, puis versez dans la pâte. Mélangez.

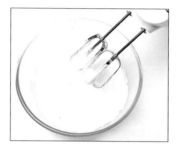

4 ▲ Battez les blancs en neige ferme puis incorporez-les délicatement à la pâte.

5 ▲ Versez la pâte dans le moule préparé. Faites cuire 45 minutes, jusqu'à ce que la pointe d'un couteau plantée dans le gâteau en ressorte propre. Laissez refroidir le gâteau 10 minutes avant de le démouler sur une grille à pâtisserie. Saupoudrez de sucre glace avant de servir.

PÊCHES AU FOUR *Pesche alla piemontese*

Les pêches, qui abondent dans toute l'Italie, sont parfois servies chaudes, comme dans cette recette très classique.

POUR 4 PERSONNES

INGRÉDIENTS
4 pêches fraîches bien mûres
Jus de 1/2 citron
65 g (2 1/2 oz) de macarons du commerce ou 90 g (3 1/2 oz) de macarons maison (voir recette) écrasés
2 cuillerées à soupe de marsala, de cognac ou d'eau-de-vie de pêche
2 cuillerées à soupe de beurre à température ambiante
1/2 cuillerée à café d'essence de vanille
2 cuillerées à soupe de sucre en poudre
1 jaune d'œuf

1 Préchauffez le four à 180 °C (350°F). Lavez les pêches. Coupez-les en deux et retirez les noyaux. Agrandissez le trou laissé par le noyau avec une petite cuillère. Arrosez les demi-pêches de jus de citron.

2 ▲ Mélangez les macarons émiettés avec du marsala ou du cognac. Battez le beurre jusqu'à ce qu'il ramollisse. Ajoutez-le aux biscuits écrasés, puis incorporez les autres ingrédients et mélangez bien.

3 ▲ Disposez les demi-pêches dans un plat à four, le côté creux vers le haut. Répartissez généreusement la farce aux macarons dans le cœur des huit moitiés de pêche. Faites cuire 35 à 40 minutes et servez chaud ou froid.

PETITS CHOUX AUX DEUX CRÈMES   *Bigné alle due creme*

Les pâtisseries italiennes regorgent de ces petits choux aux doux effluves.

POUR 48 CHOUX ENVIRON

INGRÉDIENTS
200 ml (1 tasse) d'eau
115 g (4 oz) de beurre
2 cm (1 po) de gousse de vanille
1 pincée de sel
150 g (5 oz) de farine
5 œufs
POUR LES CRÈMES
50 g (2 oz) de chocolat dessert
300 ml (1 1/4 tasse) de lait
4 jaunes d'œufs
65 g (2 1/2 oz) de sucre en poudre
45 g (1 1/2 oz) de farine
1 cuillerée à café d'essence de vanille
300 ml (1 tasse 1/4) de crème fraîche liquide
Cacao en poudre, pour garnir

1 ▲ Préchauffez le four à 190 °C (375°F). Chauffez l'eau avec le beurre, la gousse de vanille et le sel. Une fois le beurre fondu, incorporez la farine. Faites cuire à feu doux en remuant constamment, pendant 8 minutes environ. Retirez du feu.

2 ▲ Ajoutez les œufs un par un. Retirez la gousse de vanille.

3 ▲ Beurrez une tôle à pâtisserie. Avec une poche à douille, déposez de petites noisettes de pâte sur la plaque, en les espaçant suffisamment. Faites cuire 20 à 25 minutes, jusqu'à ce que les choux soient dorés. Sortez-les du four et laissez-les refroidir avant de les garnir de crème.

4 ▲ Pendant ce temps, préparez les crèmes. Faites fondre le chocolat au bain-marie. Chauffez le lait dans une petite casserole, en prenant garde de ne pas le laisser bouillir.

VARIANTE

Vous pouvez aussi garnir les choux avec de la chantilly fraîche parfumée avec 1 cuillerée à café d'essence de vanille ou 2 à 3 cuillerées à soupe de liqueur, de rhum ou de cognac. Versez la chantilly dans une poche à douille et procédez comme expliqué lors de l'étape 6 de la recette.

5 ▲ Battez les jaunes d'œufs avec un fouet métallique ou un batteur électrique. Incorporez le sucre petit à petit, et continuez à fouetter jusqu'à ce que le mélange soit jaune pâle. Incorporez la farine. Versez le lait chaud très progressivement, en le faisant couler au travers d'une passoire. Une fois tout le lait incorporé, versez le mélange dans une casserole et portez à ébullition. Laissez frémir 5 à 6 minutes en remuant constamment. Retirez du feu et versez la crème dans deux saladiers. Ajoutez le chocolat fondu dans l'un et l'essence de vanille dans l'autre. Laissez refroidir.

6 ▲ Montez la crème fraîche en chantilly. Incorporez-en la moitié dans chacune des deux crèmes. Remplissez-en deux poches à douille ronde. Garnissez la moitié des choux avec la crème au chocolat, l'autre moitié avec la crème à la vanille, après avoir pratiqué un petit trou dans le côté de chaque chou avec la douille. Saupoudrez les choux remplis de crème au chocolat avec du cacao, et les choux garnis de crème à la vanille avec du sucre glace. Servez immédiatement.

BISCUITS AUX RAISINS SECS

Gialletti

Ces petits biscuits blonds sont originaires de Vénétie Euganéenne.

POUR 48 BISCUITS ENVIRON

INGRÉDIENTS
75 g (3 oz) de raisins secs
115 g (4 oz) de farine de maïs
*   finement meulée*
175 g (6 oz) de farine de blé
1 1/2 cuillerée à café de levure chimique
1/2 cuillerée à café de sel
225 g (8 oz) de beurre
225 g (8 oz) de sucre en poudre
2 œufs
1 cuillerée à soupe de marsala ou
*   1 cuillerée à café d'essence de vanille*

1 Faites tremper les raisins secs dans un petit bol d'eau chaude pendant 15 minutes. Égouttez-les. Préchauffez le four à 180 °C (350°F).

2 Tamisez la farine de maïs et la farine de blé, la levure et le sel et mélangez.

3 Réduisez le beurre en pommade avec le sucre. Ajoutez les œufs un par un et mélangez. Ajoutez ensuite le marsala ou l'essence de vanille.

4 ▲ Ajoutez les ingrédients secs à la pâte et mélangez bien. Incorporez les raisins secs.

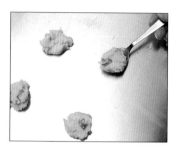

5 ▲ Déposez des cuillerées à café de pâte sur une tôle à pâtisserie graissée, en les espaçant de 5 cm environ. Faites cuire 5 à 8 minutes, jusqu'à ce que les biscuits soient dorés au centre et bruns tout autour. Sortez-les du four, et laissez-les refroidir sur une grille.

MACARONS

Amaretti

Si vous ne trouvez pas d'amandes amères, remplacez-les par des amandes douces.

POUR 36 MACARONS ENVIRON

INGRÉDIENTS
150 g (5 oz) d'amandes douces
50 g (2 oz) d'amandes amères
225 g (8 oz) de sucre en poudre
2 blancs d'œufs
1/2 cuillerée à café d'essence d'amande ou
*   1 cuillerée à café d'essence de vanille*
Sucre glace, pour saupoudrer

1 Préchauffez le four à 160 °C (325°F). Pelez les amandes : plongez-les dans une casserole d'eau bouillante pendant 1 à 2 minutes, puis égouttez-les et frottez-les dans un torchon propre.

2 Mettez les amandes sur une tôle à pâtisserie et laissez-les sécher dans le four pendant 10 à 15 minutes. Retirez-les du four avant qu'elles roussissent et laissez-les refroidir. Arrêtez le four.

3 Réduisez les amandes en poudre avec la moitié du sucre.

4 ▲ Avec un batteur électrique ou un fouet métallique, battez les blancs d'œufs en neige ferme. Ajoutez la moitié du reste de sucre et battez de nouveau. Incorporez délicatement le reste de sucre, la vanille et les amandes en poudre.

5 Versez le mélange dans une poche à douille. Garnissez une tôle à pâtisserie d'une feuille de papier sulfurisé et farinez-la.

6 ▲ Déposez des noisettes de pâte sur la plaque avec la poche à douille. Saupoudrez légèrement de sucre glace et laissez reposer pendant 2 heures. Préchauffez le four à 180 °C (350°F).

7 Faites cuire les macarons 15 minutes, jusqu'à ce qu'ils soient d'un beau blond doré. Sortez-les du four et faites-les refroidir sur une grille à pâtisserie.

TARTE À LA CONFITURE

Crostata di marmellata di frutta

Ces tartes à la confiture décorées de bandelettes de pâte sont très populaires dans le Nord de l'Italie.

POUR 6 À 8 PERSONNES

INGRÉDIENTS
200 g (7 oz) de farine
50 g (2 oz) de sucre en poudre
1 pincée de sel
115 g (4 oz) de beurre, ou de
margarine, bien froids
1 œuf
1/4 de cuillerée à café de zeste de citron
350 g (12 oz) de confiture (framboise,
abricot ou fraise par exemple)
1 œuf, légèrement battu avec
2 cuillerées à soupe de crème fraîche
liquide, pour le glaçage

1 ▲ Préparez la pâte en mettant la farine, le sucre et le sel dans une terrine. Coupez le beurre ou la margarine et mélangez-les aussi vite que possible avec les ingrédients secs, jusqu'à ce que le mélange ressemble à de la farine. Ajoutez l'œuf battu avec le zeste de citron. Mélangez bien à la fourchette, jusqu'à ce que la pâte forme une boule. Si elle s'émiette, ajoutez 1 à 2 cuillerées à soupe d'eau.

2 Formez deux boules de pâte, l'une légèrement plus grosse que l'autre, et aplatissez-les en deux disques. Enveloppez-les dans du papier sulfurisé et mettez-les au réfrigérateur pendant au moins 40 minutes.

3 Graissez légèrement un moule à tarte de 23 cm (9 po) de diamètre, de préférence un modèle à fond amovible. Étalez le plus grand disque de pâte au rouleau sur un plan de travail légèrement fariné, jusqu'à obtention d'une galette.

4 Enroulez la pâte autour du rouleau et garnissez-en le moule à tarte. Égalisez les bords avec un petit couteau. Piquez le fond avec une fourchette et mettez au réfrigérateur pendant 30 minutes.

5 ▲ Préchauffez le four à 190 °C (375°F). Étalez la confiture régulièrement sur le fond de tarte. Étalez le second disque de pâte au rouleau.

6 ▲ Découpez de fines bandelettes de pâte (1 cm (1/2 po) de largeur environ) dans le second disque, en vous servant d'une règle. Disposez-les en forme de croisillon sur la confiture. Égalisez de nouveau les bords, en pressant les extrémités des bandelettes sur le bord de la tarte. Badigeonnez la pâte de mélange œuf-crème. Enfournez pendant 35 minutes, jusqu'à ce que la pâte soit bien dorée.

TARTE AU CHOCOLAT

Crostata di cioccolata

Voici une riche cousine de la tarte à la confiture que nous venons de vous proposer.

POUR 6 À 8 PERSONNES

INGRÉDIENTS
200 g (7 oz) de farine
50 g (2 oz) de sucre en poudre
1 pincée de sel
115 g (4 oz) de beurre bien froid
1 œuf
1 cuillerée à soupe de marsala
1/4 de cuillerée de zeste de citron

POUR LA GARNITURE
200 g (7 oz) de macarons secs ou
    300 g (11 oz) de macarons maison
    (voir recette)
100 g (3 1/2 oz) d'amandes mondées
50 g (2 oz) de noisettes mondées
3 cuillerées à soupe de sucre en poudre
200 g (7 oz) de chocolat noir
3 cuillerées à soupe de lait
50 g (2 oz) de beurre
3 cuillerées à soupe de liqueur (type
    amaretto ou cognac)
2 cuillerées à soupe de crème liquide

1 ▲ Préparez la pâte à tarte comme pour la tarte à la confiture, en battant le marsala avec l'œuf et le zeste de citron, puis en incorporant ce mélange aux ingrédients secs.

2 Graissez légèrement un moule à tarte de 26 cm (10 po) de diamètre, de préférence avec un fond amovible. Étalez la pâte au rouleau sur un plan de travail fariné jusqu'à obtention d'une galette de 3 mm (1/8 po) d'épaisseur environ. Enroulez la pâte sur le rouleau et garnissez-en le moule à tarte graissé. Égalisez les bords avec un petit couteau. Piquez le fond à la fourchette et réfrigérez pendant au moins 30 minutes.

3 Émiettez les macarons et réduisez-les en poudre avec un robot ménager. Versez dans une terrine. Réservez huit amandes entières et mettez les autres dans le robot avec les noisettes et le sucre. Réduisez grossièrement le tout en poudre. Ajoutez aux macarons et mélangez bien.

4 ▲ Préchauffez le four à 190 °C (375°F). Faites fondre le chocolat au bain-marie avec le lait et le beurre. Remuez jusqu'à obtention d'un mélange lisse et onctueux.

5 Versez le chocolat sur le mélange aux noisettes, amandes et macarons, et mélangez bien. Ajoutez l'alcool et la crème fraîche.

6 ▲ Étalez le chocolat sur le fond de tarte. Faites cuire 35 minutes environ, jusqu'à ce que la pâte soit bien dorée et que la garniture gonfle et commence à foncer. Laissez refroidir à température ambiante. Coupez les amandes restantes en deux et placez-les sur la tarte pour la décorer.

GRANITA DE CAFÉ

Granita di caffè

Une granita est un intermédiaire entre une boisson glacée et une glace parfumée. La consistance est celle de la neige fondue, pas de la glace. Vous pouvez la préparer vous-même à l'aide d'un robot ménager.

POUR 4 À 5 PERSONNES

INGRÉDIENTS
500 ml (2 tasses) d'eau
115 g (4 oz) de sucre en poudre
250 ml (1 tasse) de café expresso très
    fort, refroidi
Chantilly, pour garnir (facultatif)

1 ▲ Chauffez l'eau et le sucre à feu doux, jusqu'à ce que le sucre soit dissous. Portez à ébullition, puis retirez du feu et laissez refroidir.

2 ▲ Mélangez le café au sirop de sucre. Versez dans un récipient peu profond ou un bac à glaçons, et mettez au congélateur jusqu'à ce que le mélange se solidifie. Plongez le fond du récipient dans l'eau très chaude pendant quelques secondes. Démoulez ensuite le mélange glacé et coupez-le en gros morceaux.

3 ▲ Mettez les morceaux glacés dans un robot ménager équipé de lames métalliques et mixez jusqu'à obtention de petits cristaux. Versez-en quelques cuillerées dans chaque coupe et décorez avec un peu de chantilly si vous le souhaitez. Vous pouvez mettre la granita au congélateur jusqu'au moment de servir. Laissez alors décongeler quelques minutes avant de servir, ou passez de nouveau au robot.

GRANITA DE CITRON

Granita di limone

Rien n'est plus rafraîchissant, par une chaude journée d'été, qu'une bonne granita de citron.

POUR 4 À 5 PERSONNES

INGRÉDIENTS
500 ml (2 tasses) d'eau
115 g (4 oz) de sucre en poudre
Zeste de 1 citron bien lavé
Jus de 2 gros citrons

1 Chauffez l'eau et le sucre à feu doux, jusqu'à ce que le sucre soit dissous. Portez ensuite à ébullition, puis retirez du feu et laissez refroidir.

2 Mélangez le zeste et le jus de citron avec le sirop de sucre. Versez dans un récipient peu profond ou dans un bac à glaçons, et mettez au congélateur jusqu'à ce que le mélange se solidifie.

3 ▲ Plongez le fond du récipient dans de l'eau très chaude pendant quelques secondes, puis démoulez le mélange glacé et coupez-le en gros morceaux.

4 ▲ Mettez les morceaux de glace dans un robot ménager équipé de lames métalliques et mixez jusqu'à obtention de petits cristaux. Servez dans des coupes à glace ou des verres à pied.

GLACE À LA CRÈME

Gelato di crema

Une bonne glace italienne n'est ni trop dure, ni trop sucrée.

POUR 85 CL DE GLACE ENVIRON

INGRÉDIENTS
750 ml (3 1/2 tasses) de lait
1/2 cuillerée à café de zeste de citron
6 jaunes d'œufs
150 g (5 oz) de sucre en poudre

1 Préparez la crème : chauffez le lait avec le zeste de citron dans une petite casserole. Retirez du feu dès que de petites bulles apparaissent à la surface. Veillez à ce que le mélange ne bouille pas.

2 Battez les jaunes d'œufs avec un fouet métallique ou un batteur électrique. Incorporez le sucre petit à petit et continuez à battre pendant 5 minutes environ, jusqu'à ce que le mélange soit jaune pâle. Filtrez le lait, puis versez-le très doucement sur les œufs.

3 ▲ Lorsque le lait a été entièrement incorporé, versez le mélange dans le récipient supérieur d'un bain-marie, ou dans un bol que vous placerez au-dessus d'une casserole d'eau frémissante. Faites cuire en remuant constamment, jusqu'à ce que la crème épaississe suffisamment pour napper le dos d'une cuillère. Retirez alors du feu et laissez refroidir.

4 Versez dans une sorbetière et suivez les instructions du fabricant. La glace est prête lorsqu'elle est ferme mais pas trop dure.

5 ▲ Si vous n'avez pas de sorbetière, versez la crème dans un récipient en plastique ou métallique et mettez-le au congélateur pendant 3 heures environ, jusqu'à ce que la glace soit prise. Démoulez-la et coupez-la en gros morceaux de 7 cm environ. Mettez-les dans le bac d'un robot ménager et mixez, jusqu'à obtention d'un mélange bien lisse et onctueux. Versez de nouveau dans le récipient et remettez au congélateur, jusqu'à ce que la glace soit ferme. Répétez l'opération 2 ou 3 fois, jusqu'à obtention d'une glace bien onctueuse, sans cristaux.

GLACE AU CHOCOLAT

Gelato al cioccolato

Choisissez un chocolat noir d'excellente qualité, votre glace n'en sera que meilleure.

POUR 85 CL DE GLACE ENVIRON

INGRÉDIENTS
750 ml (3 1/2 tasses) de lait
10 cm (4 po) de gousse de vanille
225 g (8 oz) de chocolat noir fondu
4 jaunes d'œufs
150 g (5 oz) de sucre en poudre

1 Préparez la crème comme pour la glace à la crème ci-dessus, en remplaçant le citron par la vanille.

2 Battez les jaunes d'œufs avec un fouet métallique ou un batteur électrique. Incorporez le sucre petit à petit, et continuez à battre pendant 5 minutes, jusqu'à ce que le mélange soit jaune pâle. Filtrez le lait, puis versez-le doucement sur les œufs.

3 ▲ Versez la crème avec le chocolat fondu dans le récipient supérieur d'un bain-marie. Mélangez bien en faisant chauffer à feu moyen, jusqu'à ce que l'eau bouille et que la crème épaississe assez pour napper légèrement le dos d'une cuillère. Retirez du feu et laissez refroidir.

4 ▲ Versez dans une sorbetière ou bien suivez l'étape 5 de la recette précédente, en alternant congélation et passage au robot jusqu'à ce que la glace soit bien onctueuse.

GLACE À LA NOISETTE

Gelato di nocciola

Ce parfum très apprécié accompagne parfaitement les glaces à la crème et au chocolat.

POUR 4 À 6 PERSONNES

INGRÉDIENTS
75 g (3 oz) de noisettes
500 ml (2 tasses) de lait
10 cm (4 po) de gousse de vanille
4 jaunes d'œufs
75 g (3 oz) de sucre en poudre

1 Mettez les noisettes dans un plat à four et faites-les griller 5 minutes en remuant le plat de temps en temps. Sortez-les du four et laissez-les refroidir. Mettez ensuite les noisettes sur un torchon propre et frottez-les pour éliminer leur peau sombre. Réduisez-les en poudre avec 2 cuillerées à soupe de sucre.

2 Préparez la crème : chauffez le lait avec la gousse de vanille dans une petite casserole, puis retirez du feu dès que de petites bulles apparaissent à la surface. Veillez à ce que le lait ne bouille pas.

3 Battez les jaunes d'œufs avec un fouet métallique ou un batteur électrique. Incorporez le sucre petit à petit et continuez à battre pendant encore 5 minutes, jusqu'à ce que le mélange soit jaune pâle. Ajoutez le lait très progressivement, en le versant à travers une passoire après avoir jeté la gousse de vanille. Remuez constamment, jusqu'à ce que tout le lait ait été incorporé.

4 Versez le mélange dans le récipient supérieur d'un bain-marie, ou dans un bol que vous placerez au-dessus d'une casserole d'eau frémissante. Ajoutez les noisettes hachées. Chauffez à feu moyen en remuant constamment, jusqu'à ce que l'eau bouille et que la crème ait épaissi au point d'enrober légèrement le dos d'une cuillère. Retirez du feu et laissez refroidir.

5 Versez la crème dans une sorbetière, ou bien suivez l'étape 5 de la recette de la glace à la crème jusqu'à obtention d'une glace bien onctueuse.

INDEX